JN252638

先進医療 NAVIGATOR

今日の再生医療・細胞医療の産業化に向けて

編集 先進医療フォーラム

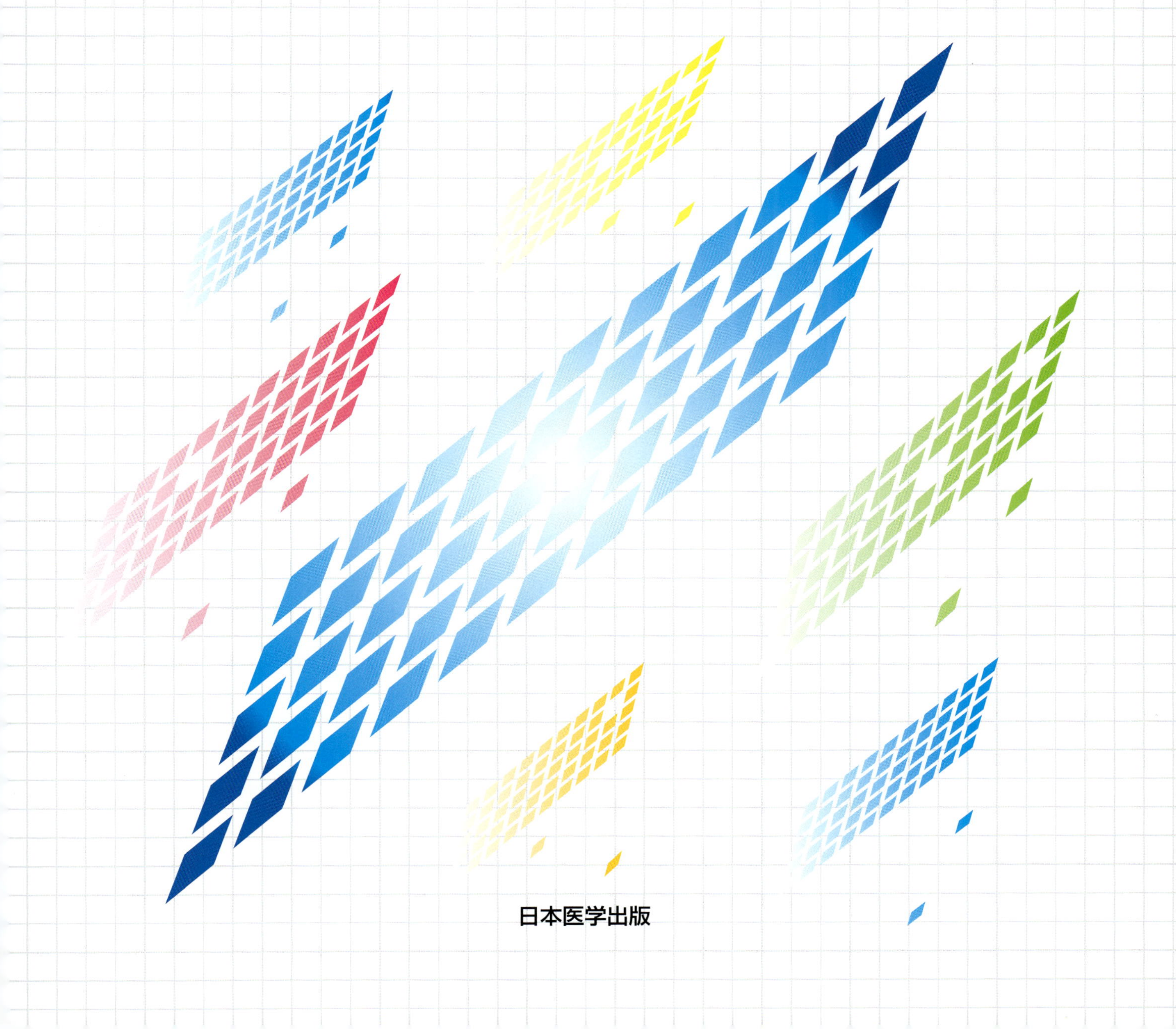

日本医学出版

巻頭言

この度，先進医療フォーラムの編集による『先進医療 NAVIGATOR　今日の再生医療・細胞医療の産業化に向けて』が日本医学出版から刊行される事になった．再生医療は現在，世界的なトピックスとなっており，その最近の進歩には目覚ましいものがある．特にわが国では山中伸弥先生の iPS 細胞を用いた再生医療の研究が現在幅広く行われている．最近山中先生が中心となってつくられた HLA ホモドナーによる iPS 細胞バンクが発足し，そのバンク由来の細胞を用いる加齢黄斑変性症に対する臨床研究が，理研の高橋政代先生を中心にするグループによって開始されたと報道されている．従って今回の「再生医療・細胞医療の産業化」は誠に時宜を得たテーマであるといえよう．

本書の内容を御紹介すると，第 1 章の「再生医療・細胞医療の研究最前線」の中の 1）再生医療の最前線～重症心不全に対する心筋再生治療法の開発～は澤先生が従来から取り組まれてきた研究であり，骨格筋細胞由来の細胞を用いた心不全に対する治療法が紹介されている．その際，東京女子医科大学のグループによって開発され，本誌では山崎，清水両先生によって紹介されている 3）ティッシュ・エンジニアリングの技術が十分に利用されている．

その前の 2）iPS 細胞研究最前線は高橋，山中両先生による情報であり，最近の進展が明瞭に示されている．

1 章の最後で梅澤先生が再生医療・細胞医療産業の最前線の題で，レギュラトリーサイエンスなど制度的問題について，米国の政策を含めて紹介されている．次の第 2 章は再生・細胞医療産業に対する行政や企業の対応が具体的な名前をあげて紹介されており，再生医療の産業化がいよいよ実現しつつある事が実感される内容のものとなっている．

第 3 章で再生医療・細胞医療への期待として，従来健康問題に関心の深い黒岩神奈川県知事，久元神戸市長からご期待の言葉をいただいたのも『先進医療 NAVIGATOR』誌の新しい試みといえよう．第 5 章の企業紹介は再生医療の産業化を謳った本特集の締めくくりに相応しい内容のものとなっている．

本書が刊行される時には再生医療の産業化がわが国で一斉に始まっており，再生医療が新しい時代を迎えた事を多くの関係者が実感するようになっていると信じている．

平成 29 年 6 月吉日

日本医学会会長　**高久　史麿**

執筆者一覧

[企画]

岡野　光夫　　東京女子医科大学　名誉教授・特任教授

澤　　芳樹　　大阪大学大学院医学系研究科外科学講座心臓血管外科学　教授

[執筆者]

高久　史麿　　日本医学会　会長

澤　　芳樹　　大阪大学大学院医学系研究科外科学講座心臓血管外科学　教授

高橋　和利　　カリフォルニア大学サンフランシスコ校　グラッドストーン心疾患研究所

山中　伸弥　　京都大学 iPS 細胞研究所　所長・カリフォルニア大学サンフランシスコ校
グラッドストーン心疾患研究所

山崎　　祐　　東京女子医科大学先端生命医科学研究所

清水　達也　　東京女子医科大学先端生命医科学研究所　所長・教授

梅澤　明弘　　国立成育医療研究センター研究所　副所長／再生医療センター長

今西　正男　　神戸市理事　医療・新産業本部長

川真田　伸　　細胞療法研究開発センター　センター長

桑原　　篤　　大日本住友製薬株式会社　再生・細胞医薬神戸センター
ティッシュエンジニアリンググループ

岸野　晶祥　　大日本住友製薬株式会社　再生・細胞医薬神戸センター　センター長

木村　　徹　　大日本住友製薬株式会社　取締役執行役員

澤田　昌典　　株式会社ヘリオス　専務取締役兼 CMO

岸本　治郎　　株式会社資生堂グローバルイノベーションセンター
ライフサイエンス研究センター　再生医療開発室長

川西　聡政　　株式会社資生堂グローバルイノベーションセンター

相馬　　勤　　株式会社資生堂グローバルイノベーションセンター

佐藤　　敬　　株式会社資生堂グローバルイノベーションセンター

山口健太郎　　神奈川県ヘルスケア・ニューフロンティア推進統括官

横川　拓哉　　再生医療イノベーションフォーラム（FIRM）運営委員長

浅井　克仁　　株式会社遺伝子治療研究所　代表取締役

岩宮　貴紘　　株式会社メトセラ　代表取締役　最高経営・技術責任者

森　　　正　　株式会社グリーンペプタイド　医薬開発部開発企画グループ

田野　隆徳　　株式会社リコー　リコー未来技術研究所　バイオメディカル研究室　室長

黒岩　祐治　　神奈川県知事

久元　喜造　　神戸市長

古川　　悠　　ダイダン株式会社　再生医療事業部

（執筆順、敬称略）

目　次

第１章　再生医療・細胞医療の研究最前線

1 再生医療の最前線～重症心不全に対する心筋再生治療法の開発～

大阪大学大学院医学系研究科外科学講座　心臓血管外科学　教授　澤　芳樹

はじめに

わが国の心不全による年間死亡数は約４万３千人，特に end-stage 心不全にあっては１年死亡率が 75％とされる。高齢化，虚血性心疾患の増加に伴い，今後心不全患者数の増大およびそれに伴う治療費の増加が予想される。重症心不全に対する現在の最終的な治療法は，補助人工心臓や，心臓移植などの置換型治療であるが，現段階では前者はその耐久性や合併症，後者はドナーの確保や免疫抑制剤等に問題があり，普遍的治療とは言い難いのが現状である。

また，小児心不全においては，WHO の勧告により海外渡航移植は禁止されようとしているにもかかわらず，日本の小児心臓移植における法整備は依然整っておらず，成人の移植よりも深刻なドナー不足が予想される。

我々は，60 例に及ぶ心臓移植と 200 例を超える補助人工心臓治療を経験する重症心不全治療の拠点であるが，多数の重症心不全患者を目の前に置換型治療の限界と再生型治療の必要性を痛感し，自己骨格筋由来の筋芽細胞シートによる心筋再生治療法を開発し，補助人工心臓離脱成功例を世界で初めて報告した。さらに 20 例以上の臨床例の経験から細胞シート移植技術を確立し，企業治験が開始され橋渡し研究を成功させるに至った（図1）。また，本細胞シートによる心不全治療は，シートから分泌されるさまざまなサイトカインによる血管新生，抗線維化作用による作用であることを突き止めた。

本稿では，ヒト幹細胞臨床研究指針に適合した臨床研究および企業治験として実施されるに至るまでの我々の橋渡し研究について紹介し，今後の展望についても述べたい。（本稿は第 14 回再生医療学会総会（平成 27 年３月）での学会賞受賞講演を元に記述したものである。）

心不全に対する細胞治療の開拓－injection 法による混合細胞移植

細胞治療においては，①自己由来の移植細胞源の獲得，②梗塞領域への効率的な細胞供給，③移植細胞への血液供給不足・アポトーシス・ネクローシスによる脱落の阻止，が重要な課題である。我々は，これらをクリアする細胞源と供給方法を 2000 年代より模索してきた。

まず細胞源として，自己骨格筋より採取可能な筋芽細胞と，HGF 等の心筋再生に関わるサイトカインを分泌する骨髄単核球細胞を混合した細胞集団を用い，不全心への直接的 injection 法により，心機能回復の基礎研究を行った。

イヌ慢性期梗塞モデルを作成し，自己由来筋芽細胞を培養し，自己骨髄単核球細胞を採取し，両細胞を同時に梗塞心に移植したところ，単独細胞の治療群と比較して，有意な心機能向上効果を示し，血管新生も豊富であった。この機序解明のため，骨髄単核球細胞と筋芽細胞を共培養したところ，単独細胞の培養と比較して，共培養群では，HGF 等の心筋再生因子の発現が向上していた[1]。これら基礎実験に基づき，人工心臓を装着した虚血性心筋症患者４例に対し，自己筋芽細胞と自己の骨髄単核球細胞を開胸下に注射針を用い

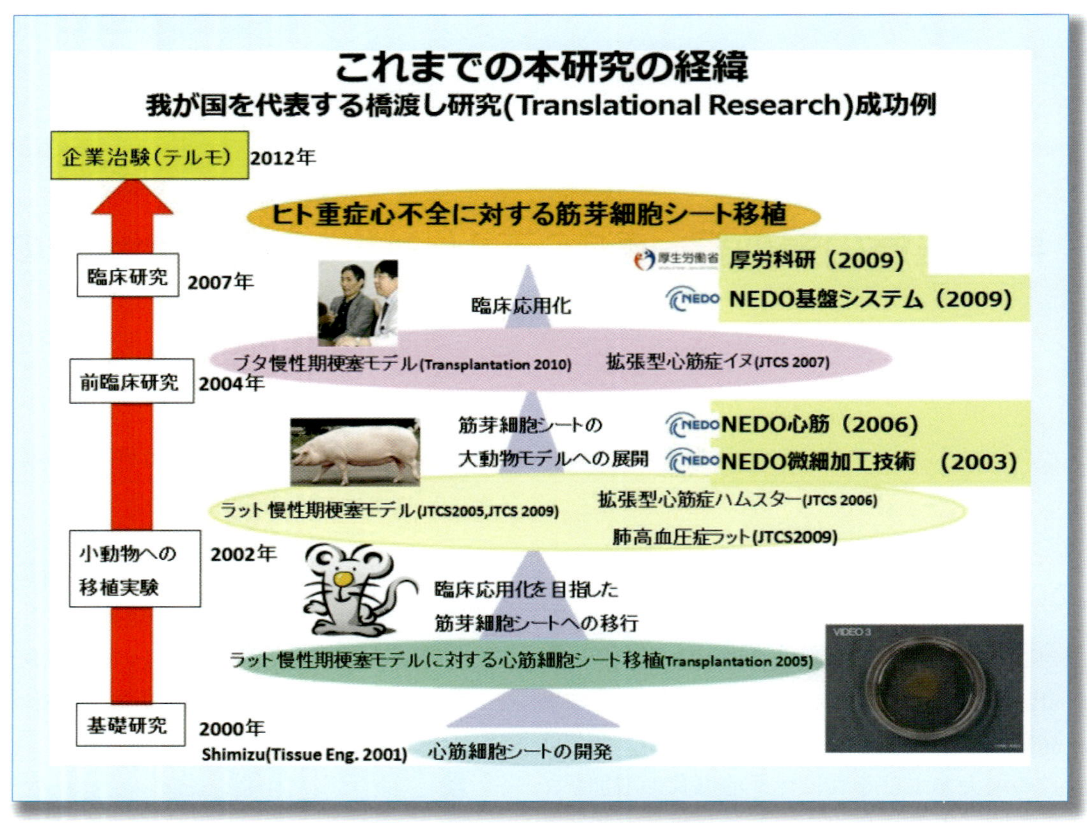

図 1　これまでの本研究の成果

て移植し，術後その臨床経過を観察した[2,3]。当時，ヒトに用いることのできる細胞を培養する Cell Processing Center を当院未来医療センターに増設したばかりであり，GMP，GCP 基準を満たす細胞を大量に培養できるかが重要な問題であった。臨床研究に踏み切る前に，さまざまな骨格筋検体を得，CPC にて細胞単離・培養を行い，GMP，GCP 基準を満たす，quality の高い細胞を所定量培養することができた。このプロセスで得た細胞を，患者 4 例に移植したところ，手術中あるいは術後においても重篤な不整脈を認めず，エンドポイントであった safety，feasibility study を終えることができた。当臨床研究は safety and feasibility study であるため，有効性を解析することはできないが，4 例中 2 例で術前と比較して，心機能の向上，血流の向上を認めることができた。残念ながら，4 例とも人工心臓よりの離脱は不可能であり，さらなる基礎技術の発展が期待される結果となった。

心不全に対する細胞治療の発展－細胞シート技術の開発

これまでの結果を踏まえ，重症心不全の治癒という目標を達成するためには，細胞治療の基礎技術をさらに発展する必要があることを痛感した。課題②に挙げた不全心への細胞供給システムの問題を解決すべく，我々は温度応答性培養皿[4]を用いて，細胞シートを作成し，この組織体を心臓へ移植することにより，細胞を供給するという新しい供給システムを開発した。

これまで，細胞を組織化して移植する方法は主に，人工的な scaffold に細胞を組み込む方法が考案されていたが，温度応答性培養皿による本法は，人工的 scaffold を用いない唯一の方法であり，組織を構築している細胞・細胞外基質はすべて自己生体組織由来であり，細胞と細胞間，移植組織とレシピエント間の接着蛋白の発現は維持されており，生体適合性の高い組織体であることが種々の基礎研究から証明されている。

我々はまず，ラット新生仔より単離した心筋細胞を，温度応答性培養皿を用いて培養し，細胞シートを作成した。シート状になった心筋細胞を20℃にて剥し，これを二枚重ねて重層化し，障害心の心外膜側に移植した。重層化した心筋細胞シートはhomogeneousな3次元構造を持ち，connexin43の発現および心筋細胞シート間の電気的結合を有し，自己拍動能を示した。この心筋細胞シートをラット梗塞心の心臓表面に貼付したところ，心筋細胞シートは心臓表面に接着し，梗塞心の機能改善を認めた[5]。

我々はさらにヒト臨床に応用可能な細胞源として，新生仔由来ではなく，自己骨格筋由来の筋芽細胞を用いた筋芽細胞シートの作成と評価を行った。ラットを用いて，骨格筋由来筋芽細胞を単離し，筋芽細胞シートを作成し，ラット梗塞心[6]，拡張型心筋症ハムスター[7]に移植した。その結果，従来の注射針を用いた細胞移植法と比較して，組織・機能において，有意な改善が起こることを報告した。さらに，大動物心不全モデルとして，イヌ拡張型心筋症モデル[8]，およびブタ慢性心筋梗塞モデル[9]を作成し，筋芽細胞シートを移植し，長期にわたる心機能改善効果を確認するとともに，本治療法の安全性を確認した。本研究にあたっては，死亡率が少なく重症の慢性期ブタ心筋梗塞モデルを開発・作成した[10]。また，細胞シート移植治療は左心不全のみならず，右心不全にも有効性があることが示唆された[11]と同時に，心不全治療における既存の外科術式である左室形成術と組み合わせることにより，左室の再拡大が抑制されることを小動物モデルによって証明した[12]。また筋芽細胞シートで治療した不全心には，弾性の高いelastinが豊富に産生されており，これらの弾性繊維が心機能を改善させることが予測されたため，筋芽細胞にelastinを遺伝子導入し，シート化・移植したところ，同遺伝子導入細胞シートはより有効な心機能改善効果があることも示された[13]。

筋芽細胞シートの心不全に対する機能改善のメカニズム

上記の動物実験と並行して，我々は筋芽細胞シートの心不全に対する心機能向上効果に関するメカニズムを解明すべく，基礎的研究を行った。元来筋芽細胞は，骨格筋が損傷した際に，基底膜に存在する筋芽細胞が活性化され，細胞が増殖・分化し，最終的には，欠損した骨格筋を補うことが知られている。筋芽細胞を心臓に移植した際，筋芽細胞は心筋新生仔由来の心筋細胞とは異なり，心筋特有の収縮蛋白を発現することはなく，またconnexin 43も発現しないため，電気的にレシピエント心と隔絶されて心臓内に存在し，レシピエント心と同期して拍動することはない。我々は，筋芽細胞シートの効果のメカニズムは，移植した細胞より遊離されるさまざまなサイトカインによる作用であると考え，ラット慢性期心筋梗塞モデルに筋芽細胞シートを移植し，移植された心臓組織のgrowth factorの発現を網羅的に解析したところ，HGF，vascular endothelial growth factor(VEGF)，stromal derived factor-1(SDF-1)，insulin growth factor-1(IGF-1)の発現が特に向上していることを見出した[6]。この蛋白の発現は，移植される筋芽細胞シートの枚数に比例して，向上することを確認している[14]。さらに，本蛋白がどこから産生されているか検討したところ，外来より移植された筋芽細胞よりこれらの蛋白が分泌されていることが判明した。また，組織学的検討の結果，シート移植された心臓では，α-smooth muscle actin陽性の細胞が多量に移植部位に存在し，同細胞はmyosin heavy chain陰性の細胞で，筋芽細胞の特徴を有していないことが判明している[9]。また，HGF, VEGF等の作用だけではなく，シートを移植した部位に，residual stem cellと呼ばれる心筋幹細胞が多数集積していることが観察された[6]。同細胞は，心筋がダメージを受けた際に，損傷部位に集積し，分化して心筋細胞特有骨格蛋白を発現し，損失した心筋細胞補填にあたっていることが知られている。細胞シートは，このように内因性の心筋再生メカニズムを惹起していることが，心機能向上効果の一因と考えている（図2）。

細胞シート治療法の臨床研究および医師主導型治験への発展

1．人工心臓を装着した拡張型心筋症患者に対する筋芽細胞シート移植治療

これらの基礎実験をもとに，左室人工心臓を装着している拡張型心筋症患者に対する自己筋芽細胞シート移植の臨床研究について，本学倫理委員会・未来医療センターに承認を受け，2007年に臨床研究を開始した（図3）。第1例目において，人工心臓や筋芽細胞

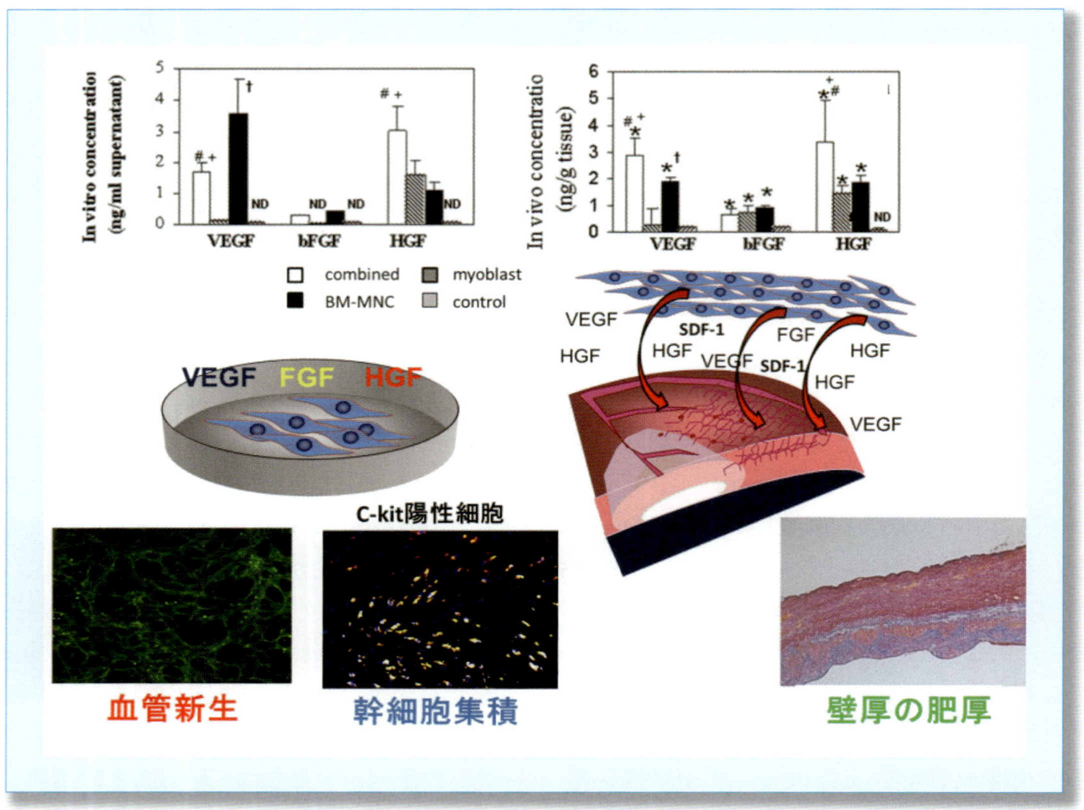

図２　予測される心筋組織修復のメカニズム

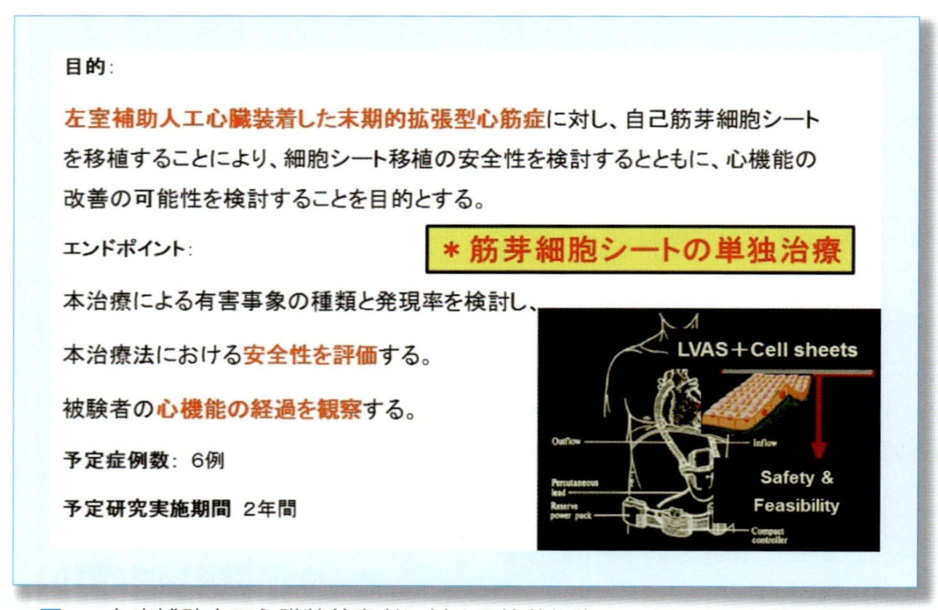

図３　左室補助人工心臓装着患者に対する筋芽細胞シートによる心筋再生治療

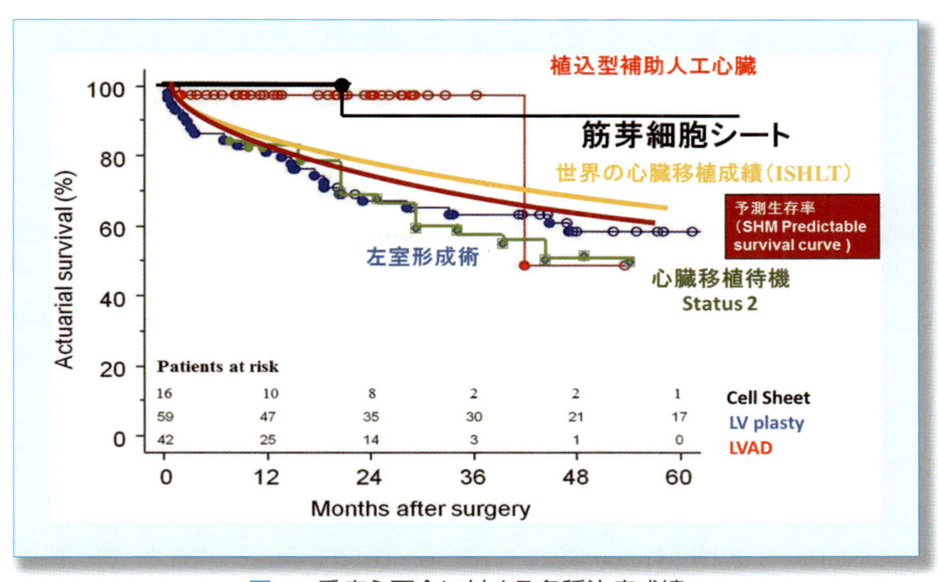

図４　重症心不全に対する各種治療成績

シートによる集学的治療により，心機能の改善を認め，最終的には左室補助人工心臓からの離脱に成功し，元気に退院した[15]。本症例においては，人工心臓の持つ“Bridge to Recovery”効果と筋芽細胞シートの持つ心筋賦活効果の両者の作用であると考えている。また，人工心臓を装着した３例の患者に筋芽細胞シートを移植したところ，うち２名において，左室収縮能の改善，左室のリバースリモデリングを認め，最終的に内１名が人工心臓から離脱した。本治療法にて人工心臓から離脱した患者は２名であるが，離脱後６年を経過した時点で，心不全兆候を認めず，自宅にて療養しており，仕事に復帰している。離脱できなかった２症例は，最終的に心臓移植を行ったが，本治療を行った４症例の心筋組織を用いて，血管密度を解析したところ，いずれの症例の血管密度も向上しており，非臨床研究で得た結果との相同性が認められた。

２．人工心臓を装着していない拡張型心筋症患者，虚血性心筋症患者に対する筋芽細胞シート移植治療

我々は，人工心臓を装着していない拡張型心筋症患者８名，虚血性心筋症患者８名に対して，自己筋芽細胞シートを移植し，本治療法の安全性・認容性を確認した。現在のところ，筋芽細胞シートに関連した重篤な有害事象を認めず，安全性を確認できている。また，一部の患者において，左室収縮能の改善，臨床症状の改善が得られており，シートを移植した患者の予測生命予後は，左室形成を受けた患者と比較して良好であった（図４）。また，本治療法は，多施設にて企業治験を７例行い，安全性が検証された[16]。今後，これらのデータを元に，薬事申請が行われ，市販化されることが期待される。

３．小児拡張型心筋症患者に対する筋芽細胞シート移植治療

成人の筋芽細胞シートの臨床応用に続いて，小児拡張型心筋症患者に対する筋芽細胞シートの臨床応用を開始しており，2014年に１例目の筋芽細胞シート移植を行い，現在経過観察中である。小児における心不全治療においては，現在，小児用の小型人工心臓は存在せず，心臓移植もドナー不足のため，ほとんど行われていないのが現状であり，本治療法により，症状の緩和，病状の進行を遅らせ，体を大きくして，将来成人の人工心臓を装着し，最終的には成人期に心臓移植を行うことを目標としている。筋芽細胞シートの適応拡大のため，小児重症心不全患者に対する筋芽細胞シートの医師主導型治験を計画している。

参考文献

1）Memon IA, Sawa Y, Miyagawa S, Taketani S, Matsuda H. Combined autologous cellular cardiomyoplasty with skeletal myoblasts and bone marrow cells in canine hearts for ischemic cardiomyopathy. J Thorac Cardiovasc Surg. 2005; 130(3): 646-53.

2) Fujita T, Sakaguchi T, Miyagawa S, Saito A, Sekiya N, Izutani H, et al. Clinical impact of combined transplantation of autologous skeletal myoblasts and bone marrow mononuclear cells in patients with severely deteriorated ischemic cardiomyopathy. Surg Today. 2011; 41(8): 1029-36.
3) Miyagawa S, Matsumiya G, Funatsu T, Yoshitatsu M, Sekiya N, Fukui S, et al. Combined autologous cellular cardiomyoplasty using skeletal myoblasts and bone marrow cells for human ischemic cardiomyopathy with left ventricular assist system implantation: report of a case. Surg Today. 2009; 39(2): 133-6.
4) Shimizu T, Yamato M, Kikuchi A, Okano T. Two-dimensional manipulation of cardiac myocyte sheets utilizing temperature-responsive culture dishes augments the pulsatile amplitude. Tissue engineering. 2001; 7(2): 141-51.
5) Miyagawa S, Sawa Y, Sakakida S, Taketani S, Kondoh H, Memon IA, et al. Tissue cardiomyoplasty using bioengineered contractile cardiomyocyte sheets to repair damaged myocardium: their integration with recipient myocardium. Transplantation. 2005; 80(11): 1586-95.
6) Memon IA, Sawa Y, Fukushima N, Matsumiya G, Miyagawa S, Taketani S, et al. Repair of impaired myocardium by means of implantation of engineered autologous myoblast sheets. J Thorac Cardiovasc Surg. 2005; 130(5): 1333-41.
7) Kondoh H, Sawa Y, Miyagawa S, Sakakida-Kitagawa S, Memon IA, Kawaguchi N, et al. Longer preservation of cardiac performance by sheet-shaped myoblast implantation in dilated cardiomyopathic hamsters. Cardiovasc Res. 2006; 69(2): 466-75.
8) Hata H, Matsumiya G, Miyagawa S, Kondoh H, Kawaguchi N, Matsuura N, et al. Grafted skeletal myoblast sheets attenuate myocardial remodeling in pacing-induced canine heart failure model. J Thorac Cardiovasc Surg. 2006; 132(4): 918-24.
9) Miyagawa S, Saito A, Sakaguchi T, Yoshikawa Y, Yamauchi T, Imanishi Y, et al. Impaired Myocardium Regeneration With Skeletal Cell Sheets—A Preclinical Trial for Tissue-Engineered Regeneration Therapy. Transplantation. 2010; 90(4): 364-72 10.1097/TP.0b013e3181e6f201.
10) Shudo Y, Miyagawa S, Fukushima S, Saito A, Kawaguchi N, Matsuura N, et al. Establishing new porcine ischemic cardiomyopathy model by transcatheter ischemia-reperfusion of the entire left coronary artery system for preclinical experimental studies. Transplantation. 2011; 92(7): e34-5.
11) Hoashi T, Matsumiya G, Miyagawa S, Ichikawa H, Ueno T, Ono M, et al. Skeletal myoblast sheet transplantation improves the diastolic function of a pressure-overloaded right heart. J Thorac Cardiovasc Surg. 2009; 138(2): 460-7.
12) Saito S, Miyagawa S, Sakaguchi T, Imanishi Y, Iseoka H, Nishi H, et al. Myoblast sheet can prevent the impairment of cardiac diastolic function and late remodeling after left ventricular restoration in ischemic cardiomyopathy. Transplantation. 2012; 93(11): 1108-15.
13) Uchinaka A, Kawaguchi N, Hamada Y, Miyagawa S, Saito A, Mori S, et al. Transplantation of elastin-secreting myoblast sheets improves cardiac function in infarcted rat heart. Molecular and cellular biochemistry. 2012; 368(1-2): 203-14.
14) Sekiya N, Matsumiya G, Miyagawa S, Saito A, Shimizu T, Okano T, et al. Layered implantation of myoblast sheets attenuates adverse cardiac remodeling of the infarcted heart. J Thorac Cardiovasc Surg. 2009; 138(4): 985-93.
15) Sawa Y, Miyagawa S, Sakaguchi T, Fujita T, Matsuyama A, Saito A, et al. Tissue engineered myoblast sheets improved cardiac function sufficiently to discontinue LVAS in a patient with DCM: report of a case. Surg Today. 42(2): 181-4.
16) Sawa Y, Yoshikawa Y, Toda K, Fukushima S, Yamazaki K, Ono M, et al. Safety and Efficacy of Autologous Skeletal Myoblast Sheets （TCD-51073） for the Treatment of Severe Chronic Heart Failure Due to Ischemic Heart Disease. Circulation journal : official journal of the Japanese Circulation Society. 2015; 79(5): 991-9.

2 iPS 細胞研究最前線

カリフォルニア大学サンフランシスコ校　グラッドストーン心疾患研究所　高橋　和利
京都大学 iPS 細胞研究所所長・カリフォルニア大学サンフランシスコ校　グラッドストーン心疾患研究所　山中　伸弥

はじめに

2007 年，我々はたった 4 つの遺伝子をヒトの体細胞に導入することで，ヒト胚由来の分化多能性幹細胞：胚性幹（Embryonic Stem: ES）細胞によく似た性質を持つ細胞を作製することに成功し，これを induced Pluripotent Stem（iPS）細胞と命名した。今年はヒト iPS 細胞の発表から 10 年目の節目の年である。ヒト iPS 細胞はその性質から，ヒト ES 細胞研究が切り開いてきた再生医療への応用が期待され，同時に創薬や疾患研究といった新たな分野を開拓するツールとして注目されてきた。iPS 細胞自体は，特定の培養条件下で自己複製する単なる細胞株である。しかし，さまざまな研究手法やアイデアと組み合わせることによって，これまで実現不可能と思われていた事項にアプローチできるようになった。本稿では，この 10 年のヒト iPS 細胞研究について最新の知見を交えて紹介する。

再生医療に用いる iPS 細胞

2007 年当初，ヒト iPS 細胞は皮膚由来の線維芽細胞にレトロウイルスベクターを用いて遺伝子導入することで作製された[1,2]。この選択は，先行して行っていたマウス iPS 細胞樹立の経験を踏まえて，最も容易で再現性の高い方法であると考えられたからである[3]。iPS 細胞の品質や安全性を考えれば，染色体への挿入を伴うレトロウイルス法は最良の選択とは言えず，改良の余地があるのは明らかであった。その後，染色体への挿入を伴わない遺伝子導入法を用いた iPS 細胞の樹立がいくつも発表されたが[4-12]，現在ではエピソーマルベクター，センダイウイルス，合成 RNA を用いた手法が広く利用されている。また，ドナー細胞も当初の皮膚線維芽細胞だけでなく，末梢血由来単核球や臍帯血など，より低侵襲で得られる細胞を用いることが可能となった[13,14]。

培養法もこの 10 年で大きく進展が見られた。医療に用いる細胞は可能な限り既知物質から構成される培養系において取り扱われるべきであるが，ヒト多能性幹細胞を安定して維持培養するには，当初マウス由来のフィーダー細胞を用いる必要があった[15]。その後，ヒト ES 細胞を用いた研究により，マウス肉腫由来の細胞外基質であるマトリゲルとフィーダー細胞の培養上清を組み合わせることで，フィーダー細胞そのものを用いずとも維持培養が可能となった[16]。以降もさらなる研究開発が進み，完全に既知物質からなる培地とビトロネクチンまたはマトリゲルの主成分の一つであるラミニンを用いることにより，動物成分不含培養系が利用可能となった[17-19]。また，ヒト多能性幹細胞の培養に関して，この 10 年間での最も重要な発見は ROCK 阻害剤による細胞死の抑制であろう[20]。ヒト多能性幹細胞は，継代時に単一細胞へと分散するとほとんどの細胞が死滅してしまう。その結果，継代時の細胞の生存率が著しく低く，強い細胞（多くの場合異常な細胞）が選択・濃縮されてしまうという不安があった。そのため，細胞死を回避する目的でヒト多能性幹細胞の継代時には，20-30 個からなる細胞塊を作製することが良いとされた。しかし，これでは培養する人によって違いが出てしまい，安定した結果を得

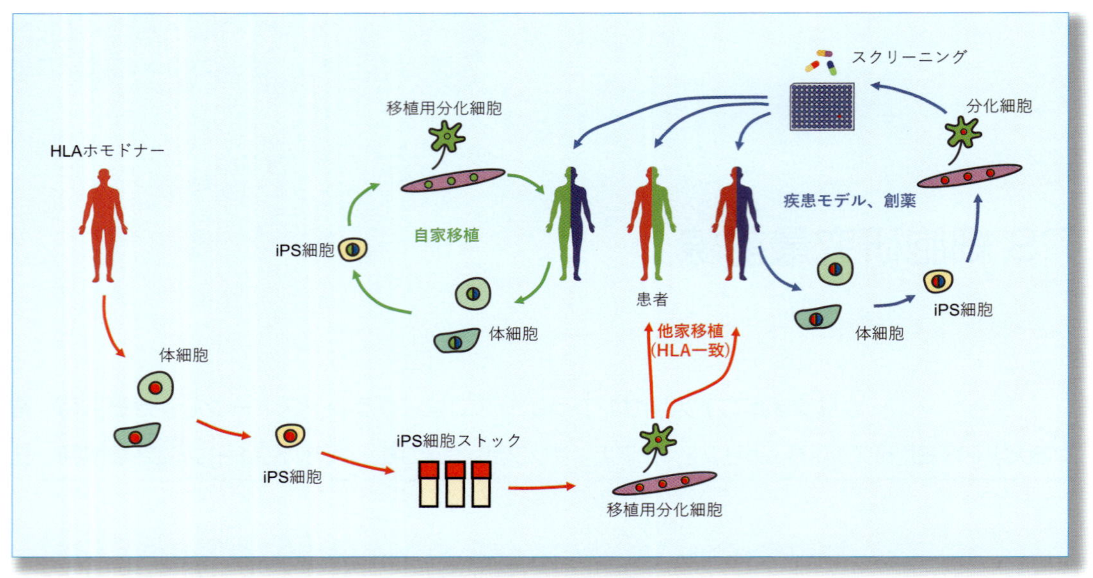

図1　iPS 細胞の応用

iPS 細胞を自家移植用に作製するとコストが非常に高くなるが，HLA ホモドナーから作製した iPS 細胞は同じ型の HLA をヘテロで有する患者に使用できるため，コストを低く抑えられる。また，患者由来の iPS 細胞は移植用のみならず，その病態解明や新薬の開発を通して多くの患者に役立つ可能性がある。

ることは困難であったと想像できる。この状況を解決したのが ROCK 阻害剤である。継代時に ROCK 阻害剤を培養液に添加すると生存率は 30 倍程度改善され，単一細胞での継代も可能となった[20]。

上記のように，ヒト iPS 細胞を取り巻く技術は格段に改良され，再生医療への応用が現実的なものとなった。一方で，ヒト iPS 細胞の樹立効率は 10 年が経過した今現在においても 1%以下と非常に低い。しかし，数十万個の体細胞から数百個の iPS 細胞が得られるとすれば，応用上十分な効率である。このように，単一ドナーから複数の株が得られることは iPS 細胞の大きな長所である。つまり，適切な品質評価基準をもって細胞株の選別を行えば，より高品質な株を得ることができるのである。評価基準としては，これまでの研究で見い出されてきたマーカー遺伝子等の発現，単一塩基レベルの変異解析や核型検査，分化能力などが考えられる。このようにして，適切な基準をもとに選別したヒト iPS 細胞は，ヒト ES 細胞と遜色ない性質を持つことが示されている。

このように，時間と労力が必要ではあるものの，医療応用品質の iPS 細胞が作製できる可能性が見えてきた。しかし，iPS 細胞を用いた再生医療について多くの人がイメージする自家移植は，理想的な治療モデルであるが時間やコストを考えると現実的に難しい（図1）。そこで，他家移植であっても可能な限り拒絶反応を回避しうる方法として，ヒト白血球型抗原（Human Leukocyte Antigen: HLA）型が一致した iPS 細胞の利用が考えられている（図1）。HLA は自己・非自己の識別に利用される細胞表面抗原であり，常染色体上に存在するため両親から一対ずつ遺伝子を受け継ぐことになる。HLA は 6 座からなり各遺伝子座で数十を超えるバリエーションが存在する。したがって，ハプロタイプの組み合わせは数万通り存在し，親兄弟であっても互いに型が完全に一致することはほとんどない。しかし，稀に両親から同じ型の HLA を受け継いだ人（HLA ホモ）が存在する。自分と違う型の HLA を持つ細胞が非自己と認識されるので，HLA ホモドナーと同じ型の HLA を少なくとも片親から受け継いでいれば，拒絶反応は大幅に軽減されると期待されている。つまりさまざまなバリエーションの HLA ホモドナー由来 iPS 細胞をストックしておけば，多くの患者に対応することが可能である。計算上，140 種類の HLA ホモドナー由来 iPS 細胞は日本人の約 90%をカバーするとされている[21, 22]。京都大学 iPS 細胞研究所は 2010 年に，医療用 iPS 細胞の作製，ストックおよび配布を目的に，専門部署（Facility for iPS Cell Therapy）を立ち上げ，再生医療用 iPS 細胞ストックプロジェクト内で HLA ホモ

iPS細胞の作製を進めている。140種類のHLAホモドナーを見つけるためには約20万人のHLA型を調べる必要があるが，日赤や臍帯血バンクとの連携により実現可能であると考えられている。

疾患研究ツールとしてのiPS細胞

iPS細胞はドナーの遺伝情報を受け継ぐので，疾患患者由来のiPS細胞は試験管内での病態再現を実現可能にするツールとして期待されている。試験管内での病態再現は，疾患のメカニズムを理解するうえで非常に有用であるだけでなく，創薬スクリーニングにも利用できると考えられている（図1）。ヒト多能性幹細胞を用いた分化誘導法の開発・改良は，iPS細胞が誕生する前からヒトES細胞を用いて精力的に進められてきた。そのほとんどがヒトiPS細胞にそのまま利用可能であるため，ヒトiPS細胞を利用した疾患研究には非常に多くの研究者が参入し，予想を超えたスピードと規模で進んでいる印象を受ける。また，iPS細胞技術はこれまでマーケティングの観点から実施が困難であった難病（希少疾患）研究を可能にした点において評価されるだろう。2015年4月には，京都大学iPS細胞研究所と武田薬品工業株式会社が共同し，iPS細胞技術の臨床応用に向けたプロジェクトT-CiRA（Takeda-CiRA Joint Program for iPS Cell Applications）を開始した。アカデミアが持つiPS細胞の基礎技術と製薬企業の新薬開発技術というそれぞれの強みを生かして，革新的な治療法の開発や創薬が期待される。

一方で，病態やスクリーニング結果の評価を厳密に行うためには，適切なコントロールが必要である。親・兄弟をはじめとした親族は比較的遺伝的背景も似ておりコントロールとしては妥当であると考えられるが，完全ではない。近年のゲノム編集技術の目覚ましい発展はおそらくこの問題を解決すると思われる。疾患の原因遺伝子が既知である場合，患者由来iPS細胞において該当する変異箇所を修正することも可能である。ゲノム編集により修正された細胞は，疾患原因遺伝子（厳密には修正部位）以外のDNA配列は元となった疾患患者由来iPS細胞と同一である。理論上，このような細胞が理想的なコントロールとなる。特に，CRISPR-Cas9を用いたゲノム編集は非常に汎用性が高く，患者由来細胞を正常に戻すだけでなく，iPS細胞において任意の変異を導入し新たに疾患モデルを作製することも容易である[23]。また，CRISPRの塩基切断活性部位を転写抑制ドメインに置き換えたCRISPR interference（CRISPRi）という系も疾患モデル作製の新たな可能性として非常に魅力的である[24-26]。細胞に任意のガイドRNA（20塩基程度の単鎖RNAでCRISPRを特定のDNA配列に導く）を導入することで，標的遺伝子を得意的かつ強力に抑制することができる。簡便な系であるため，多くの候補遺伝子を解析するには適したツールであると考えられるし，疾患患者由来細胞で得た表現型を確認する目的でも利用できるだろう。このように，新しい研究手法とiPS細胞を組み合わせることにより，疾患研究の在り方もより良い方向へと変わってきている。

ナイーブ型iPS細胞

ヒトiPS細胞を用いた再生医療への取り組みや疾患研究はすでに進められているが，一方で，ヒト多能性幹細胞の性質そのものに関する研究も活発に行われている。マウスのES細胞は着床前の受精卵にある内部細胞塊に性質が類似しており，非常に均一性が高い[27]。一方で，ヒト多能性幹細胞は着床後胚にあるエピブラストに性質が類似しており，分化多能性は有しているものの，細胞集団としての均一性が低い[28-29]。前者をナイーブ型，後者をプライムド型と呼び区別している[30]。確かに，マウスのナイーブ型とプライムド型を比較すると，ナイーブ型の方が，均一性のみならず分化能力も高い[31]。そういった知見から，ヒト多能性幹細胞においても，ナイーブ型が一つの理想形としてとらえられることがある。しかし，プライムド型であるヒト多能性幹細胞に適した培養法や分化誘導法が開発されている現状において，本当にヒトのナイーブ型が有用であるかは不明である。2013年ごろからヒト多能性幹細胞を特定の培養条件下に移すことでナイーブ化したとする報告が相次いでいる[32-37]。今のところ，それぞれの報告で培養条件が異なり，いまだコンセンサスを得るには至っていない。また，細胞の性質も報告ごとに異なっており発展途上の段階である。しかしこのような取り組みはヒトの発生を理解するうえで一助になる可能性があり，基礎研究的な観点から非常に重要である。また，本当にナイーブ型がiPS細胞の応用目的に有用であれば，次世代のiPS細胞として開発する価値があり今後の研究が期待される。

終わりに

この10年で，iPS細胞は広く普及した。おそらくこれからの10年は当たり前のツールとして利用されるのだろう。また，新たな実験手法と組み合わせることで，これまで予想しえなかった分野の開拓に貢献できるかもしれない。すでに進められている，再生医療，疾患研究，創薬においては，いくつか画期的な成果が出てくることが期待される。

参考文献

1）Takahashi, K. et al: Induction of pluripotent stem cells from adult human fibroblasts by defined factors. *Cell* **131**, 861-872. 2007.
2）Yu, J. et al: Induced pluripotent stem cell lines derived from human somatic cells. Science（*New York, N.Y.*）**318**, 1917-1920, 2007.
3）Takahashi, K. & Yamanaka, S. Induction of pluripotent stem cells from mouse embryonic and adult fibroblast cultures by defined factors. *Cell* **126**, 663-676. 2006.
4）Okita, K., Nakagawa, M., Hyenjong, H., Ichisaka, T. & Yamanaka, S. Generation of Mouse Induced Pluripotent Stem Cells Without Viral Vectors. *Science*（*New York, N.Y.*）**322**, 949-953, doi:1164270 [pii]10.1126/science.1164270. 2008.
5）Stadtfeld, M., Nagaya, M., Utikal, J., Weir, G. & Hochedlinger, K. Induced Pluripotent Stem Cells Generated Without Viral Integration. *Science*（*New York, N.Y.*）**322**, 945-949, doi:1162494 [pii]10.1126/science.1162494. 2008.
6）Yu, J. et al: Human induced pluripotent stem cells free of vector and transgene sequences. *Science*（*New York, N.Y.*）**324**, 797-801, doi:1172482 [pii]10.1126/science.1172482. 2009.
7）Zhou, W. & Freed, C. R. Adenoviral gene delivery can reprogram human fibroblasts to induced pluripotent stem cells. *Stem Cells* **27**, 2667-2674, doi:10.1002/stem.201. 2009.
8）Fusaki, N., Ban, H., Nishiyama, A., Saeki, K. & Hasegawa, M. Efficient induction of transgene-free human pluripotent stem cells using a vector based on Sendai virus, an RNA virus that does not integrate into the host genome. *Proc Jpn Acad Ser B Phys Biol Sci* **85**, 348-362, doi:JST.JSTAGE/pjab/85.348 [pii]. 2009.
9）Okita, K. et al. A more efficient method to generate integration-free human iPS cells. *Nat Methods* **8**, 409-412, doi:nmeth.1591 [pii]10.1038/nmeth.1591. 2011.
10）Jia, F. et al: A nonviral minicircle vector for deriving human iPS cells. Nat *Methods* **7**, 197-199, doi:nmeth.1426 [pii]10.1038/nmeth.1426. 2010.
11）Zhou, H. et al: Generation of induced pluripotent stem cells using recombinant proteins. *Cell stem cell* **4**, 381-384, doi: S1934-5909（09）00159-3 [pii]10.1016/j.stem.2009.04.005. 2009.
12）Warren, L. et al: Highly efficient reprogramming to pluripotency and directed differentiation of human cells with synthetic modified mRNA. *Cell stem cell* **7**, 618-630, doi:10.1016/j.stem.2010.08.012. 2010.
13）Haase, A. et al: Generation of induced pluripotent stem cells from human cord blood. *Cell stem cell* **5**, 434-441, doi: S1934-5909（09）00445-7 [pii]10.1016/j.stem.2009.08.021. 2009.
14）Ye, Z. et al. Human-induced pluripotent stem cells from blood cells of healthy donors and patients with acquired blood disorders. *Blood* **114**, 5473-5480, doi:10.1182/blood-2009-04-217406. 2009.
15）Thomson, J. A. et al: Embryonic stem cell lines derived from human blastocysts. *Science*（*New York, N.Y.*）**282**, 1145-1147. 1998.
16）Xu, C. et al: Feeder-free growth of undifferentiated human embryonic stem cells. *Nat Biotechnol* **19**, 971-974. 2001.
17）Chen, G. et al: Chemically defined conditions for human iPSC derivation and culture. *Nat Methods* 8, 424-429, doi:10.1038/nmeth.1593. 2011.
18）Miyazaki, T. et al: Laminin E8 fragments support efficient adhesion and expansion of dissociated human pluripotent stem cells. *Nat Commun* **3**, 1236, doi:10.1038/ncomms2231. 2012.
19）Nakagawa, M. et al. A novel efficient feeder-free culture system for the derivation of human induced pluripotent stem cells. *Sci Rep* **4**, 3594, doi:10.1038/srep03594. 2014.
20）Watanabe, K. et al: A ROCK inhibitor permits survival of dissociated human embryonic stem cells. *Nat Biotechnol* **25**, 681-686, doi:10.1038/nbt1310. 2007.
21）Nakajima, F., Tokunaga, K. & Nakatsuji, N. HLA Matching Estimations in a Hypothetical Bank of Human Embryonic Stem Cell Lines in the Japanese Population for Use in Cell Transplantation Therapy. *Stem Cells*. 2006.
22）Nakatsuji, N., Nakajima, F. & Tokunaga, K. HLA-haplotype banking and iPS cells. *Nat Biotechnol* **26**, 739-740, doi: nbt0708-739 [pii]10.1038/nbt0708-739. 2008.
23）Jinek, M. et al: A programmable dual-RNA-guided DNA endonuclease in adaptive bacterial immunity. *Science*（*New York, N.Y.*）**337**, 816-821, doi:10.1126/science.1225829. 2012.
24）Qi, L. S. et al: Repurposing CRISPR as an RNA-guided platform for sequence-specific control of gene expression. *Cell* **152**, 1173-1183, doi:10.1016/j.cell.2013.02.022. 2013.
25）Larson, M. H. et al: CRISPR interference（CRISPRi）for sequence-specific control of gene expression. *Nature protocols* **8**, 2180-2196, doi:10.1038/nprot.2013.132. 2013.
26）Mandegar, M. A. et al: CRISPR Interference Efficiently Induces Specific and Reversible Gene Silencing in Human iPSCs. *Cell stem cell* **18**, 541-553, doi:10.1016/j.stem.2016.01.022. 2016.
27）Ying, Q. L. et al: The ground state of embryonic stem cell self-renewal. *Nature* **453**, 519-523, doi:nature06968 [pii]10.1038/nature06968. 2008.
28）Tesar, P. J. et al: New cell lines from mouse epiblast share defining features with human embryonic stem cells. *Nature* **448**, 196-199. 2007.
29）Greber, B. et al: Conserved and divergent roles of FGF signaling in mouse epiblast stem cells and human

embryonic stem cells. *Cell stem cell* **6**, 215-226, doi:10.1016/j.stem.2010.01.003. 2010.

30) Nichols, J. & Smith, A. Naive and primed pluripotent states. *Cell stem cell* **4**, 487-492, doi:10.1016/j.stem.2009.05.015. 2009.

31) Nichols, J. & Smith, A. Pluripotency in the embryo and in culture. *Cold Spring Harb Perspect Biol* **4**, a008128, doi:10.1101/cshperspect.a008128. 2012.

32) Hanna, J. et al: Human embryonic stem cells with biological and epigenetic characteristics similar to those of mouse ESCs. *Proc Natl Acad Sci U S A* **107**, 9222-9227, doi:1004584107 [pii]10.1073/pnas.1004584107. 2010.

33) Gafni, O. et al: Derivation of novel human ground state naive pluripotent stem cells. *Nature* **504**, 282-286, doi:10.1038/nature12745. 2013.

34) Theunissen, T. W. et al. Systematic identification of culture conditions for induction and maintenance of naive human pluripotency. *Cell stem cell* **15**, 471-487, doi:10.1016/j.stem.2014.07.002. 2014.

35) Ware, C. B. et al: Derivation of naive human embryonic stem cells. *Proc Natl Acad Sci U S A* **111**, 4484-4489, doi:10.1073/pnas.1319738111 （2014）.

36) Chan, Y. S. et al: Induction of a human pluripotent state with distinct regulatory circuitry that resembles preimplantation epiblast. *Cell stem cell* **13**, 663-675, doi:10.1016/j.stem.2013.11.015. 2013.

37) Takashima, Y. et al: Resetting transcription factor control circuitry toward ground-state pluripotency in human. *Cell* 158, 1254-1269, doi:10.1016/j.cell.2014.08.029. 2014.

3 ティッシュ・エンジニアリング研究最前線

東京女子医科大学 先端生命医科学研究所　山崎　祐
東京女子医科大学 先端生命医科学研究所 所長・教授　清水　達也

はじめに

再生医療とは，機能障害や機能不全に陥った生体組織・臓器に対して，細胞を積極的に利用して，その機能の再生をはかるものである。慢性的な機能不全を呈する臓器疾患への現状の治療法は，臓器移植と人工臓器による治療に限られている一方で，臓器移植には拒絶反応や免疫抑制といった医学的な課題に加えドナー不足といった社会的課題があり，人工臓器には必ずしも十分な機能代替性や生体適合性が得られないといった課題が存在する。これらの解決策として，再生医療に大きな期待が集まっている。このような背景の中，再生医療の技術の一つとして，1993年に米国の小児消化器外科ジョセフ・ヴァカンティと材料学を専門とする工学者ロバート・ランガーによってティッシュ・エンジニアリングという概念が初めて提唱された[1)]。

ティッシュ・エンジニアリングの基本的な考え方は，生きた細胞を体外で人工的に増やし，工学的手法によって作られたマトリックスとうまく組み合わせることで，組織や臓器を作り上げるというものである。主役となる細胞については，移植に必要とされる大量の細胞培養法の確立といった量の課題に加えて，生体内に移植した際に十分な機能を発揮するための質の課題があり，マトリックスにおいても，生体内で毒性や炎症反応を呈さない素材といった課題があるようにまだまだ解決すべき問題点が山積している状況であるが，その一方で，日々の研究者のたゆまぬ努力によって日進月歩の目覚ましい発展を遂げている。本稿では，組織・臓器作製に向けた最新の研究取り組みについて具体例を挙げながら紹介する。

再生医療等製品の現状

現在，わが国で承認を受けている再生医療等製品のうち，組織や臓器の機能を補助する目的で使用されているものとして，自家培養表皮「ジェイス」，自家培養軟骨「ジャック」，ヒト（自己）骨格筋由来細胞シート「ハートシート」の３種類が挙げられる。これらは，適応となる疾患に対しある一定の効果を示すことで上述した再生医療への期待に応えた治療法として，患者や医師はもちろん，開発に携わった研究者や企業にとって大きな福音となった。しかしながら，いずれも単一種類の細胞から成る製品で，構造自体もシート状にしたものや，ゲルに含ませたものといった比較的単純なものとなっており，効果も限定的であることが課題となっている。一方で，生体における組織および臓器は言うまでもなく複数種類の細胞が存在するとともに，栄養や酸素を供給するための血管を含めた複雑な構造をとっており，現在ではこうした複雑な組織や臓器を３次元で作製することで，より機能的な効果発現を目指した研究が行われている。以下に代表的な３つのアプローチを紹介する．

細胞シートによる３次元心筋組織構築

１つ目のアプローチは，体外で心筋細胞や血管内皮細胞といった複数の細胞をもとに細胞シートを作製し，それを積層させることで３次元の心筋組織構築を目指すものである。

京都大学 iPS 細胞研究所の増殖分化機構研究部門の

山下潤教授らのグループは，iPS細胞由来の3つの細胞，つまり心筋細胞，血管内皮細胞および壁細胞を用いた細胞シートを多層化した心筋組織構築の研究を行っている[2]。従来，厚みをもった3次元の組織構築には，組織中心部が酸素不足で壊死してしまうことが大きな課題となっていたが，同グループは心筋シートの間にゼラチンハイドロゲルを挟み込み，細胞シート内に酸素が透過できるようにしてこの課題が克服できることを報告している[3]。

我々のグループは，心筋シートへ血管網を付与することで厚い心筋組織を作製できる独自の手法[4,5]を基盤技術として，細胞シートを用いた血管付き3次元心筋組織の構築に取り組んでいる。まず，吻合可能な血管付き組織を脱細胞化した後，ヒト血管内皮細胞を付着させて灌流可能な血管床を作製する。作製した血管床の上にiPS由来心筋細胞シートを積層化することで血管付きの厚みのある3次元心筋組織が作製される。体内の動静脈と血管床の血管を吻合することで，3次元心筋組織は移植後もホストの循環から灌流を受けることが可能となり，これをチューブ型にして体内の血管と置換することで，いわば第2の心臓として収縮弛緩といったポンプ機能を果たす組織の作製を目指している。

バイオ3Dプリンターによる血管構築

2つ目のアプローチとして，バイオ3Dプリンターを用いた組織構築法が挙げられる。

佐賀大学医学部臓器再生医工学講座の中山功一教授らのグループは，企業と共同開発したユニークなバイオ3Dプリンター「レジェノバ」を用いて3次元の血管を構築し，ラットの大動脈と置換できたことを報告している[6]。まず，ヒト臍帯血由来静脈内皮細胞，ヒト大動脈平滑筋細胞およびヒト皮膚線維芽細胞といった複数種類の細胞から構成される細胞塊（スフェロイド）を作製後，ステンレス製の剣山上に自由に細胞塊を配置できるバイオ3Dプリンター「レジェノバ」を用いて，細胞塊を管腔状となるよう自動で差し込んで仮固定する。その後，細胞から分泌される細胞外マトリックスによって細胞塊同士が接着すると，人工物を使用した足場を使うことなく，細胞のみで内腔1.5mmを有する管腔状組織が構築される。同グループは，この細胞のみで構築される血管を応用することで，透析患者のシャントに用いられる生体材料を用いた人工血管の代替となる血管の開発を目指している。

3次元器官原基（臓器の芽）による組織構築

3つ目のアプローチとして，器官原器（臓器の芽）を利用した組織構築が挙げられる。肝臓は生体内の中でも最も多彩な機能を持つ臓器の一つであり，タンパク質の合成や薬剤代謝を含むさまざまな機能を担っている。これらの機能を有する組織開発は，肝不全患者への根本治療や薬剤開発におけるスクリーニング手法として多大な期待が寄せられているが，その反面，機能の複雑さゆえに開発は困難を極めているのが現状である。

このような背景の中，横浜市立大学医学部臓器再生医学の谷口英樹教授らのグループは，肝臓の原基（芽）が胎内で形成される過程を模倣する新規の細胞培養操作技術を報告している[7]。同グループは，iPS由来の肝内胚葉細胞を特別な条件下で，2種類の細胞（ヒト臍帯血静脈由来内皮細胞およびヒト骨髄由来間葉系幹細胞）と共培養することで，立体的な肝臓の原基（肝芽）が形成されることを見い出している[8]。さらに，この肝芽をヌードラットへ移植すると，血管網が構築され，上記で述べたタンパク質の合成や薬剤代謝といった機能を発現し，肝不全マウスにおいては非移植群と比較し有意に予後を改善することが確認されている。同様の手法を応用することで，腎臓，膵臓，腸，心臓，肺および脳の3次元器官原基の作製にも成功している[10]。

終わりに

以上，機能代替を目指した次世代の3次元組織・臓器作製の試みについて紹介した。ここで紹介した以外にも，細胞ファイバや脱細胞化といった手法を用いた研究が日本を含め世界中で精力的に行われている。一つ一つの細胞が集まって機能的な組織が構築されるように，ティッシュ・エンジニアリングの研究分野においても，一つ一つの知見が集まることで人類の健康増進に貢献できるような機能的な学問体系が構築される日が来ることに期待したい。

参考文献

1）Langer R, Vacanti JP：Science.1993 May14;260（5110）:920-6.

Tissue engineering.

2) Masumoto H, Ikuno T, Takeda M, Fukushima H, Marui A, Katayama S, Shimizu T, Ikeda T, Okano T, Sakata R, Yamashita JK.:Human iPS cell-engineered cardiac tissue sheets with cardiomyocytes and vascular cells for cardiac regeneration.Sci Rep. 2014 Oct 22;4:6716. doi: 10.1038/srep06716.

3) Takehiko Matsuo, Hidetoshi Masumoto, Shuhei Tajima, Takeshi Ikuno, Shiori Katayama, Kenji Minakata, Tadashi Ikeda, Kohei Yamamizu, Yasuhiko Tabata, Ryuzo Sakata, Jun K. Yamashita:Efficientlong-termsurvival of cellgraftsaft ermyocardial infarction with thickviablecardiactissueentire ly from pluripotent stem cells
Sci Rep. 2015; 5: 16842. Published online 2015 Nov 20. doi: 10.1038/srep16842

4) Sakaguchi K1, Shimizu T, Horaguchi S, Sekine H, Yamato M, Umezu M, Okano T.
:In vitro engineering of vascularized tissue surrogates.
Sci Rep. 2013;3:1316. doi: 10.1038/srep01316.

5) Shimizu T, Sekine H, Yang J, Isoi Y, Yamato M, Kikuchi A, Kobayashi E, Okano T.:Polysurgery of cell sheet grafts overcomes diffusion limits to produce thick, vascularized myocardial tissues.FASEB J. 2006 Apr;20(6):708-10. Epub 2006 Jan 26.

6) Manabu Itoh, Koichi Nakayama, Ryo Noguchi, Keiji Kamohara, Kojirou Furukawa, Kazuyoshi Uchihashi, Shuji Toda, Jun-ichi Oyama, Koichi Node, Shigeki Morita
:Scaffold-FreeTubularTissuesCreated by a Bio-3D Printer Undergo Remodeling and Endothelialization when Implanted in Rat Aortae.PLoS One. 2015; 10(9): e0136681. Published online 2015 Sep 1. doi: 10.1371/journal.pone.0136681

7) Takebe T, Sekine K, Enomura M, Koike H, Kimura M, Ogaeri T, Zhang RR, Ueno Y, Zheng YW, Koike N, et al. Vascularized and functional human liver from an iPSC-derived organ bud transplant. Nature. 2013;499:481–4. doi: 10.1038/nature12271

8) Takebe T, Zhang RR, Koike H, Kimura M, Yoshizawa E, Enomura M, Koike N, Sekine K, Taniguchi H.:Generation of a vascularized and functional human liver from an iPSC-derived organ bud transplant.Nat Protoc. 2014 Feb;9(2):396-409. doi: 10.1038/nprot.2014.020. Epub 2014 Jan 23.

9) Takebe T, Enomura M, Yoshizawa E, Kimura M, Koike H, Ueno Y, Matsuzaki T, Yamazaki T, Toyohara T, Osafune K, Nakauchi H, Yoshikawa HY, Taniguchi H.:Vascularized and Complex Organ Buds from Diverse Tissues via Mesenchymal Cell-Driven Condensation.
Cell Stem Cell. 2015 May 7;16(5):556-65. doi: 10.1016/j.stem.2015.03.004. Epub 2015 Apr 16.

第1章 再生医療・細胞医療の研究最前線

4 再生医療・細胞医療産業の最前線（総論）

国立成育医療研究センター研究所 副所長／再生医療センター長 梅澤 明弘

はじめに

再生医療推進法が平成25年4月26日に公布され，同年5月10日に施行されてから4年が経過しようとしている現在，新しい再生医療の実用化を促進する制度的枠組みがどのようになっているかを考察してみたい。再生医療の研究開発から実用化までの施策の総合的な推進を図ることが法律の求めるものである。また，再生医療の安全性確保を図るため再生医療の提供機関および細胞培養加工施設での基準が新たに設けられたことにより，ビジネスチャンスが安全性確保法においても存在し得る。

米国における21st センチュリーアクト

2016年12月13日，米国において21stセンチュリーアクトが発表された[1)]。これは，FDAによる審査時に，より短期的かつ簡素化された研究を幅広く採用することを認める法律である。これにより，一部の抗生物質の新薬で試験期間が短縮されるようになるほか，要約データ等を含む比較的少ない科学的根拠に基づき，幅広い薬品で新たな用途が認可されることになる。米国では，12月の中旬に発布された法律であることにちなんで，この法律をクリスマスツリーアクトと呼んでいる。クリスマスツリーと呼ばれる由縁は，一つには社会に対するクリスマスプレゼントという意味がある。もう一つは，クリスマスツリーにおかれた多くのプレゼントになぞらえ，本法律の中で多くの内容が組み入れられているということを例えた。

この21stセンチュリーアクトにおいて，“Accelerated Approval for Regenerative Advanced Therapies”，すなわち『再生先端療法のための迅速承認』が定められた。これは，再生先端療法の指定制度の導入により，治験申請事項として指定を受ければ，迅速承認制度が適用されるということである。指定の要件としては，1：当該医薬品が再生医療による治療法となること，2：当該薬品が重篤または生命を脅かす疾病の処理，修正，修復，治癒を目的としていること，3：予備的な臨床結果により，当該医薬品がそうした疾病病状に対する医療上のアンメット・ニーズに応えるポテンシャルがあること，の3点が示されている。

このように，日本における条件および期限付き承認制度と同等の制度が，米国においても導入されたわけである。再生先端療法の指定を受けると，開発審査に対する優遇が受けられる。それは例えば，迅速承認の際に使われるサロゲート／中間エンドポイントに関する相談を受けることが可能となる，プライオリティーレビュー〔優先審査（6カ月以内）〕制度が適用される，また迅速承認の制度が適用される等である。この法律が施行されることにより，長期的な臨床的ベネフィットが合理的に推定されるようなサロゲート／中間エンドポイントから得られたデータを信頼することによって速やかに承認される。規制当局の要求に応じた市販後調査においては，臨床的根拠，臨床試験，患者レジストリのほか，電子カルテのようなリアルワールドにおけるデータの提出，より大規模な検証データセットの取得，または承認前に治療受けた前患者格承認後の継続的モニタリングを要求されることになる。オバマ大統領の退任前に発表された21st センチュリーアクトの下で，米国における再生医療が推進されることは間違いないであろう。一方，再生医療分野における日本の優位性が失われたわけではなく，ガイドラインを始めとしたさまざまな制度設計が次々となされている点で，今後も日本を中心とした再生医療の推進が行われていくものと思う。

わが国の再生医療産業

わが国においては，iPS細胞由来移植細胞の臨床研究がすでに開始されている。この一例は大きな意味を持つ。先端医療センター病院と理化学研究所において進められている眼の難病患者に対する臨床研究は，産業界においても試金石となるだろう。産業において，損益の観点から収益を得ることは大きな目的のひとつである。その観点から，不死の細胞であるiPS細胞は，抗体医薬品基材である不死化細胞と同様の扱いができる点で土地勘もあるわけだ。iPS細胞からは，ドパミン産生神経，角膜，網膜色素上皮，心筋，血小板，NKT細胞，赤血球，造血幹細胞，肝臓，膵ベータ細胞，下垂体，腎臓，軟骨，骨格筋，毛包，分泌腺，歯に関する再生医療等製品が開発されている。英国における規制当局MHRAは，同種iPS細胞由来間葉系幹細胞に対して，世界初の治験にゴーサインを出した。具体的な対象疾患はGvHDであり，わが国において薬事承認を受けている同種間葉系幹細胞（テムセル）と同様に，iPS細胞由来の同種間葉系幹細胞を用いるものである。

世界においては胚性幹細胞（ES細胞）を原材料とした製品に対して治験が進められている。例えば，加齢黄斑変性症に対してES細胞由来のこれら加齢黄斑変性症に対しては数社の製薬会社が網膜色素上皮細胞にかかる開発が進行している。加齢黄斑変性症以外にも，重症心不全，1型糖尿病，脊髄損傷，パーキンソン病に対して，フェーズIないしはフェーズIIの治験が進んでいるという発表が認められる。治験が行われている国も，米国，英国，韓国，イスラエル，中国，ブラジル，フランス，オーストラリアなど多岐に渡っている。日本においても，多能性幹細胞を用いた製品の治験が開始されることを強く希望する。

治験に入るまでの安全性試験に関する考え方の枠組みも整理しておくことが必要である。製品が投与された後に有効性安全性に係る変化に起きる可能性についてはしっかりと留意する必要がある。異所性組織の形成，免疫学的反応に加え，造腫瘍性にかかるガイドラインが医薬品医療機器等法および安全性確保法において準備されている。また，一般毒性試験，安全性薬理試験についても国際的な合意の元に開発を進めることが求められる。

再生医療製品の製造において，マスターセルバンクの親細胞としての多能性幹細胞に何が必要されるかを検討する必要がある。マスターセルバンク作成には，ICHQ5AおよびQ5Dの考え方に則すのが現実的と考える[2,3]。フィーダー細胞などに，動物細胞組織材料を使った場合，米国においてはXenogeneic productとして扱われる。そのことより，今後の開発において多能性幹細胞増殖では，マウスフィーダーを使用することは避け，フィーダーなしで増殖させることが望ましい。反芻動物材料についても地理的BSEリスクに基づき原産国を規制されてきたが，現在は国際獣疫事務局（OIE）の評価に沿い規制される[4]。

レギュラトリーサイエンス

再生医療製品の治験に向けて今後も評価科学が必要になってくる。製品の製造工程における工程管理および最終製品に対する品質試験がどのようなものになってくるかが課題である。新しい再生医療製品は，新しさゆえに安全面で不明な点も多い。そのため，あらゆる試験をなんでもしておきたいと考えるのは，極めて自然な考え方である。一方，あらゆる試験をできる限り行いたいという考えとともに，意思決定ないしは判断に役立つ試験にフォーカスを絞ることが肝要になる。合理的な費用と時間の範囲の中で製品を開発することが，多くの患者に治療法を届けることにつながる。それぞれの品質試験の限界を科学的に理解した上で，開発・臨床利用の意思決定に役立つかどうかといった観点から，試験を選択する必要がある。再生医療製品の品質担保に関する新しい考え方の構築と，目的にかなった品質評価法の開発，その能力と限界を知ることが肝要である。

臨床においても，長期のフォローアップと情報の集約が求められる。製品の品質試験のデータは，多くが患者への製品投与後に得られることが想定される。製品の有効性・安全性が，投与後に変化しうることが，従来の製品とは異なる点である。また患者の免疫応答性，免疫獲得が，製品の有効性・安全性に影響を与える。それゆえに，製品の開発・改善・改良における意思決定の検証に，検体の保存といった観点から，考え方を整理する必要がある。

おわりに

日本における再生医療に関する新しい規制は，世界の中でもユニークであり，現在のところ順調に運用されていると考えられる。しかしその考え方の枠組みは，従来の医薬品・医療機器に対して行われてきた制度設計の枠組みを転用したともいえる。そのような中で，最近米国で成立した法律に類似点があることがわかる。世界的な再生医療における枠組みが整理されていく現場において，適切な対応と情報の入手が肝要である。ヒト多能性幹細胞加工製品の実用化という意味では，治験は世界的に進んでいる。よって日本においても，iPS 細胞を中心に治験が開始されることが望まれる。さらには，開発・臨床における意思決定に役立つ科学や意思決定について，関係者がコンセンサスを共有する必要がある。再生医療製品については国際的規制プラットフォームが存在しないことより，今後，国際的ハーモナイゼーションを進めていくことが必要であり，規制当局の国際的活動が非常に大切になってくる。

参考文献

1) H.R.34 - 21st Century Cures Act.
https://www.congress.gov/bill/114th-congress/house-bill/34
2)「ヒト又は動物細胞株を用いて製造されるバイオテクノロジー応用医薬品のウイルス安全性評価」について．医薬審 第 329 号．平成 12 年 2 月 22 日．
3)「生物薬品（バイオテクノロジー応用医薬品／生物起源由来医薬品）製造用細胞基剤の由来、調製及び特性解析」について．医薬審 第 873 号．平成 12 年 7 月 14 日．
4) 生物由来原料基準の運用について。(薬食審査発 1002 第 1 号、薬食機参発 1002 第 5 号)、平成 26 年 10 月 2 日

1 神戸医療産業都市における再生医療分野の事業化に向けて

神戸市理事　医療・新産業本部長　今西　正男

はじめに

阪神・淡路大震災からの創造的復興事業の重点プロジェクトである「神戸医療産業都市」は，1999年3月の「神戸医療産業都市構想懇談会」報告書により産声をあげた。港湾都市として発展してきた神戸市にとって，医療産業はまったくの白紙からの新たな取り組みだったが，産学官が一体となって全力で取り組んできた結果，現在，330社を超える医療関連の企業，研究機関，医療機関が集積する日本最大級のバイオメディカルクラスターへと成長を遂げた。

特に，再生医療については，構想当初より主な研究分野に位置づけ，研究機関の集積，企業との連携などを他都市に先駆けて進めてきた。今でこそ再生医療のビジネスとしての可能性が広く認識され，数多くの企業が再生医療分野に参入をしているが，構想当時，日本において実用化された再生医療製品は一つとしてなく，ビジネスとしてまったく未知数の分野であった。「再生医療」という未開の分野を切り開き，再生医療の一大集積地へと発展した神戸医療産業都市の取り組みについて，以下説明する。

研究機関の集積

再生医療分野における事業化には，まず最先端の研究に取り組む研究機関が不可欠であり，神戸医療産業都市では，事業開始当初からその集積に取り組んできた。

その中核となる施設が，理化学研究所「多細胞システム形成研究センター（CDB）」と，神戸医療産業都市推進のため市が設立した先端医療振興財団の「先端医療センター」である。

CDBは，発生・再生分野の世界的な研究機関とし

写真　神戸医療産業都市俯瞰

写真　新たな臨床研究体制に関する記者発表（2016.6.6）

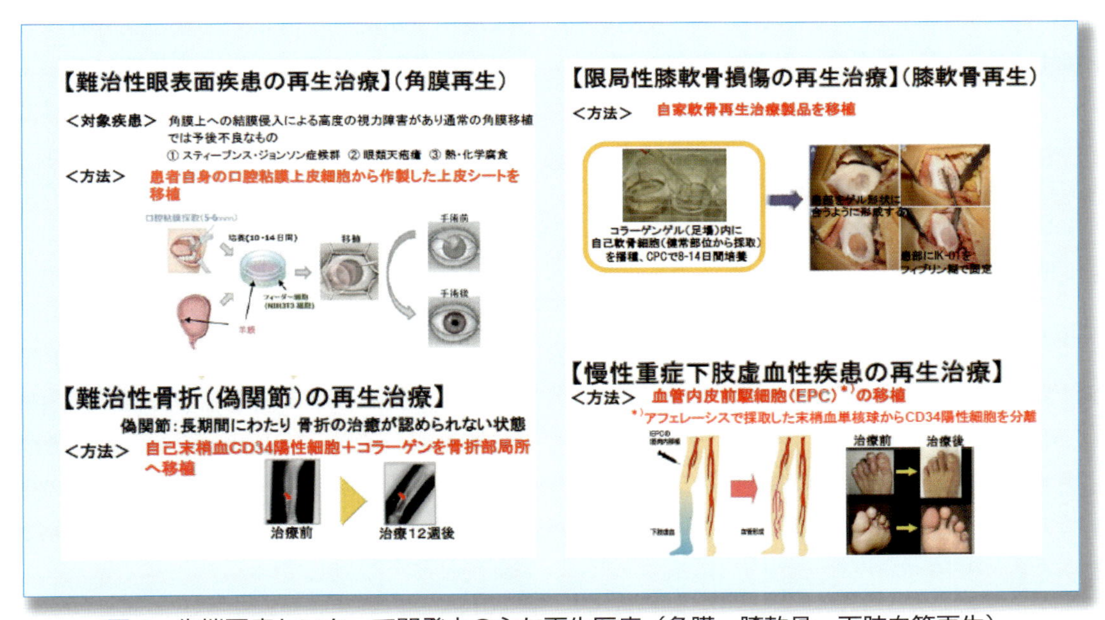

図1　先端医療センターで開発中の主な再生医療（角膜・膝軟骨・下肢血管再生）

て，生物学，分子細胞生物学，再生医学における独創的な基礎研究を行うとともに，研究から得られる知見を，ヒトのさまざまな疾病の原因究明や再生医療を始めとする新しい医療技術の創出に活かすことを目指している。2014年9月には，高橋政代プロジェクトリーダーらのチームが，目の難病である滲出型加齢黄斑変性の患者さんに世界初となる自家iPS細胞由来網膜色素上皮細胞移植手術を実施し，世界的に大きな注目を集めたところである。さらに，神戸市立医療センター中央市民病院，大阪大学，京都大学とともにiPS細胞を用いた他家移植の臨床研究をスタートさせ，2017年3月，1例目の移植手術を実施したところである。眼科領域以外でも，ヒトES細胞を用いた小脳神経細胞の作製や，上皮・間葉相互作用による毛髪・歯・皮膚の再生など，世界的な研究成果を発信し続けている。

一方の先端医療センターは，病院と研究所を備え，基礎から臨床への橋渡し（トランスレーショナルリサーチ）機能を担っている。特に再生医療では，体性幹細胞等を用いて角膜・膝軟骨・下肢血管・骨・鼓膜・声帯などさまざまな分野において，研究開発が進められており，いずれも実用化目前のところまできている。例えば，角膜再生は現在先進医療Bとして実施中で，今後，医師主導治験に移行予定であり，膝軟骨再生については医師主導治験を終了し，企業治験の準備を進めている。そのほか，下肢血管再生（下肢虚血疾患再生医療）については，すでに企業治験届を提出している。

また，橋渡し研究を推進するための情報拠点として日本で初めて整備された「神戸医療研究情報センター（TRI）」では，全国のアカデミアや企業の臨床研究支援，開発戦略支援などを行っており，再生医療に関しても数多くの支援実績を有している。先端医療センターが取り組んでいる再生医療についても，TRIが全面的に支援することで，事業化を見据えた研究開発が進められている。

その他にも，医療に関連した研究・教育機関として，神戸大学統合研究拠点，神戸学院大学薬学部，兵庫医療大学薬学部，甲南大学フロンティアサイエンス学部などが集積している。

医療機関の集積

神戸医療産業都市には，基幹病院である「神戸市立医療センター中央市民病院」を中心として高度な医療の提供を目指す病院群が集積し，現在1,400床を超える「メディカルクラスター」が形成されている。メディカルクラスターでは，高度で専門的な医療サービスを提供するほか，新たな医療技術を創出するための臨床研究・治験を推進している。再生医療の分野では，先端医療センター病院が中心的な役割を果たしており，前述のとおり医師主導治験や臨床研究が積極的に行われている。

また，iPS細胞を用いた世界初の網膜治療をはじめとする再生医療の実用化等を加速させるため，現在，基礎研究から臨床応用，治療，リハビリまでをトータルで対応できる「神戸アイセンター」を整備中であり，国家戦略特区プロジェクトとしてその中核的な役割を担う眼科専門病院「神戸アイセンター病院」（30床）も2017年12月開院予定である。

そのほか，2017年4月には，がんに対する先進的外科的治療の推進，医療機器の研究開発，海外研究者との交流などを行う「神戸大学医学部付属国際がん医療・研究センター」（120床）が開設し，12月には，小児がんに重点を置いた粒子線治療施設である「兵庫県立粒子線医療センター附属 神戸陽子線センター（仮称）」が開設予定となっている。

なお，神戸医療産業都市における臨床研究実施体制のさらなる充実をはかるため，先端医療センター病院を，2017年11月目途に中央市民病院に統合することとしており，これまで先端医療センター病院で行ってきた再生医療等の研究シーズも中央市民病院に引き継がれることとなっている。

企業の集積

神戸医療産業都市には，334社・団体（2017年1月末現在）が拠点を構え，医療産業分野における事業を展開している。特に再生医療分野においては，再生医療等製品の上市を目指す創薬系企業をはじめとして，培地・培液などの培養に要する消耗品，自動培養装置，検査・評価会社などの周辺分野での事業化を目指す企業など，約50社が集積している。これら企業の活動を促進し，迅速な事業化を後押しするため，先端医療振興財団の「クラスター推進センター」のコーディネータが中心となって，「神戸再生医療勉強会」を立ち上げている。同勉強会では，国内外の著名な研究者や厚生労働省・PMDAの再生医療担当者を招いた講演会や，同じ課題に直面する少数の企業が解決に向けた意見交換行う分科会（輸送分科会・CPC分科会）などを開催している。

また，企業と研究機関との連携も活発に行われており，2015年4月には企業との協働により理研発の多様なシーズを実用化することを目的とする「理化学研究所融合連携イノベーション推進棟（IIB）」が完成し，理化学研究所の研究者と企業がさまざまな共同研究を進めている。さらに，2016年9月にはCDBと大塚製薬が共同で，発生・再生分野における疾病メカニズムの探索と創薬への応用を目指す「理研CDB-大塚製薬連携センター」が設置されたほか，CDBと参天製薬との間で，iPS細胞由来網膜細胞を用いて，網膜色素変性症や加齢黄斑変性などの視細胞変性疾患に対する新規治療薬候補を同定する共同研究が開始されている。

そのほか，神戸大学，神戸学院大学や甲南大学などの主催による産学連携イベントが開催されるなど，神戸医療産業都市においては優れた研究機関と事業化を担う企業との間で，産学連携が積極的に行われる環境がすでに醸成されている。

研究・製造ファシリティの充実

神戸医療産業都市では，再生医療分野における研究開発を推進するため，細胞培養施設（CPC）をはじめとするレンタルラボのほか，動物実験施設，実験用MRI，RI施設などの各種インフラ施設を整備し，研究者に提供してきた。

また，先端医療振興財団の「細胞療法研究開発センター」では，複数のCPCを用いて細胞医薬品治験薬の受託製造業務を実施するとともに，細胞培養施設の設計・管理運営・教育コンサル業務を展開するなど，再生医療分野における製薬を目指す企業へのサポートを展開している。

なお，現在，企業集積の進展および進出企業の事業拡大によるレンタルラボ・CPCが慢性的に不足していることから，2017年4月，最大で1,500㎡超の大規模CPCを開設可能な「神戸医療イノベーションセンター（延床面積約10,000㎡）」の供用を開始した。

国際連携の推進

再生医療の事業化を促す法改正等により，日本の再生医療市場は海外企業にとっても非常に魅力的な市場となっている。また一方で国内市場だけでは需要が十分ではない場合も多く，日本企業におけるビジネスの成功には海外市場の攻略が不可欠である。そのため，神戸医療産業都市では，海外クラスターとの連携も積極的に実施しており，これまでもベルギーやオーストラリア，イギリスのクラスター等との連携を深めてきた。2016年は，アメリカにおける世界最大のバイオ関連展示会である「BIO International Convention」に出展するとともに，アメリカ西海岸における最大の支援機関である「BIOCOM」と先端医療振興財団の間で連携に関するMOUを締結した。

おわりに

2018年4月を目途に構築する神戸医療産業都市の新たな推進体制については，研究機能の拡充をはじめクラスター内の連携・融合を加速させる総合調整機能や事業化支援機能などを強化することとしている。

再生医療の実用化にあたっては，製薬・培地・試薬・検査・評価・輸送といった幅広い分野の企業との連携が必要となることはもちろん，研究機関・医療機関との連携も不可欠である。新たな推進体制のもと，神戸医療産業都市の企業・研究機関・医療機関が一丸となり，神戸発の再生医療を生み出していきたい。

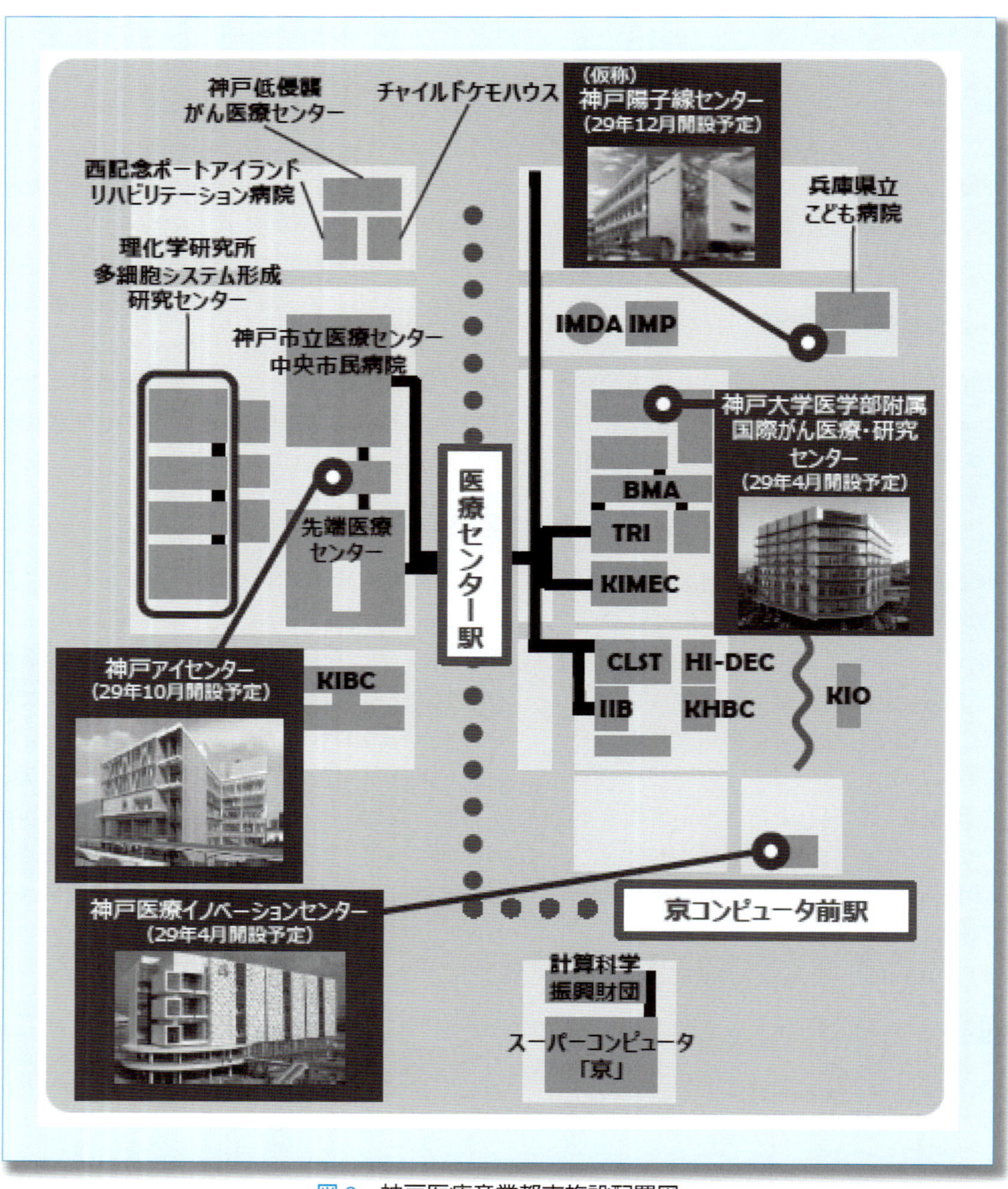

図２　神戸医療産業都市施設配置図

第２章　再生医療・細胞医療産業の最前線

2 公益財団法人 先端医療振興財団・細胞療法研究開発センターの取り組み

細胞療法研究開発センター　センター長　川真田　伸

はじめに

神戸市が主体となって取り組んできた神戸医療産業都市構想は，神戸市という政令指定都市が国の複数の省庁と連携しながら神戸ポートアイランド２期地区に病院などの医療機関や医療関連施設と医療関連企業の集積を図り，この構想実現を通じて震災後の神戸市の産業復興と市民への医療福祉の質的向上を目指すという行政上の一大（試験的）構想である。この構想を実現させるためには，行政・公的研究機関・企業が一体となって医学研究や医療開発とそれに続く事業化を進める必要があり，その目的のためにこの構想の中核的研究・医療機関として（公財）先端医療振興財団が，2000 年に設立された。

その後，複数の病院の移転や開院，種々の理化学研究所（多細胞システム形成研究センター：CDB, ライフサイエンス技術基盤研究センター：CLST，計算科学研究機構：AICS）の新設，330 社を超える医療関連企業のポートアイランド２期地区への進出，さらに PMDA の神戸分室も設置され，神戸医療産業都市構想の進展と共に先端医療振興財団も医学研究を自ら先導する研究・医療機関としての Mission に加え，開発された医療シーズを企業と連携しながら支援するといった開発支援機関としての Mission を強く付与され

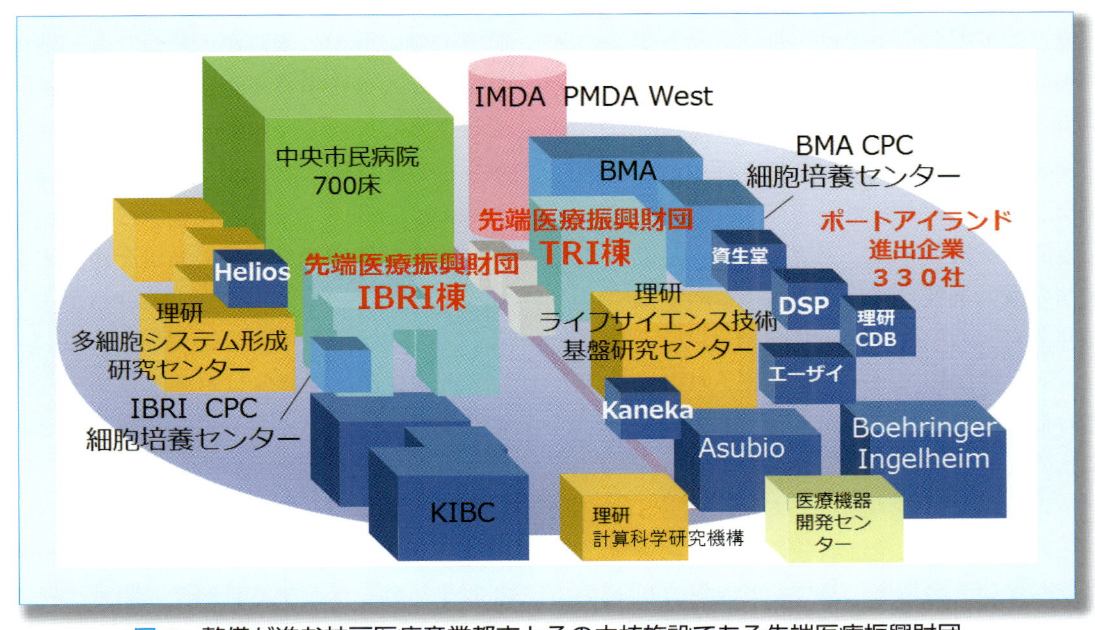

図１　整備が進む神戸医療産業都市とその中核施設である先端医療振興財団

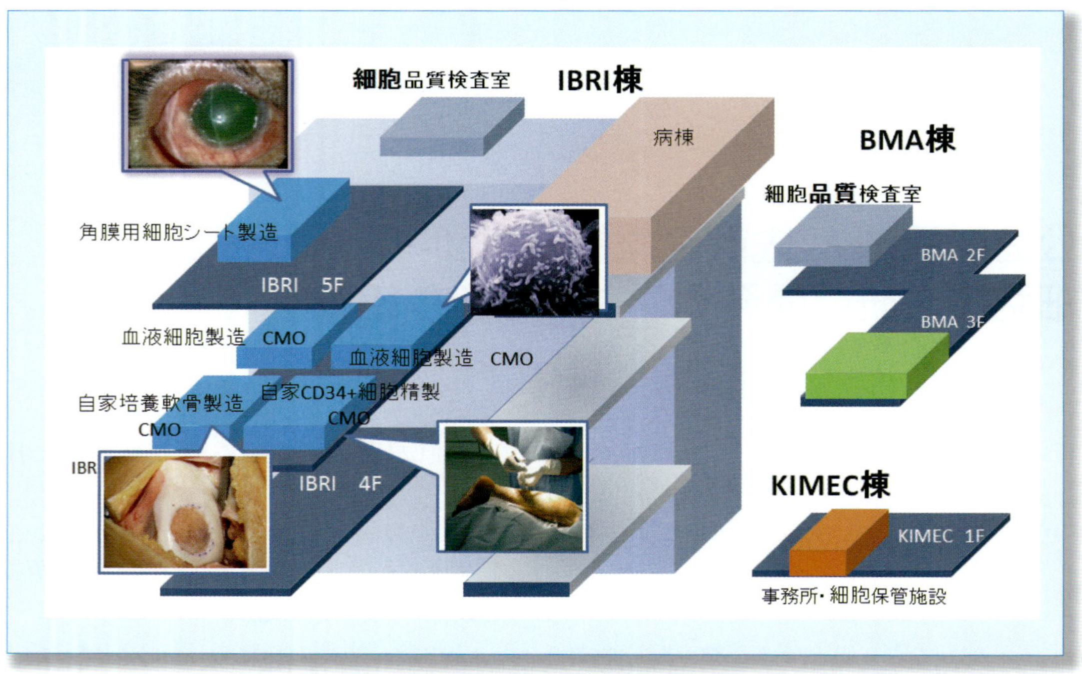

図2 細胞製剤と製造と細胞品質検査

るにようになった。このように弊財団の Mission は当構想の進展とともに変化し，その役割が明確になるのに実に 15 年の歳月を要したと考えている。

細胞療法研究開発センターの取り組み

私どもが所属している弊財団の細胞療法研究開発センターは，細胞治療・再生医療の研究開発に特化した組織であり，ポートアイランド地区に集積した近隣の研究・医療インフラを活用しながら，有望な基礎シーズを臨床研究として開発を手掛け，細胞の品質規格の設定研究，細胞製剤の安全性ガイドライン設定に向けた提言案の策定，前臨床安全性試験の実施，PMDA との薬事開発相談の実施，細胞製剤の委託製造，治験実施の支援など基礎研究から薬事開発まで，細胞製剤を用いた薬事開発支援を幅広く実施している。このような細胞製剤の開発業務に特化した組織はわが国では当センター以外にはないと自負を持っており，“神戸に進出すれば製品開発のスピードが加速され，会社の経営戦略上有益である”と企業から判断していただけるような業務の提供ができるよう心掛けている。

当センターの特筆すべき活動としては，① iPS 細胞由来分化細胞の造腫瘍性安全性試験のデザイン策定と同試験の実施およびその結果に基づく安全性ガイドライン案策定の仕事を国の委託事業として実施していること，②細胞治療シーズを開発し，国の競争的資金を活用して治験用細胞製剤の製造と医師主導治験を実施し，治験終了後は開発予定企業にこのシーズを譲渡する“橋渡し事業”を行っていること，③細胞製剤の委託製造業としては Pharmaceutical Inspection Convention and Pharmaceutical Inspection Co-operation Scheme（PIC/S）-GMP 対応可能な再生医療等製品の製造を企業から受託する事業を展開し，これにより国際治験への治験薬提供，さらには ICH の枠組みで海外への細胞製剤の供給が可能になる製造体制を整備していること，が挙げられる。さらに④細胞製剤製造業を事業として，また産業として根付かせるため，最終製品の破壊試験で品質を確認する（Quality by Testing; QbT や Verification; 照査）ではなく，製造工程中の品質検査で製品の品質を担保する新しい製造品質管理様式（Quality by Design:QbD）を可能にする次世代細胞製剤製造管理システムを複数の企業（IT 関連企業，検査分析企業，製造工程管理ソフト開発企業）とコンソーシアムを形成し，その実用化に向けて開発に取り組んでいる。

また当財団のクラスター推進センターと連携し，神戸医療産業都市に進出する企業の Business 交流，情報収集活動を支援する目的で，隔月ベースで“再生医療勉強会”を開催している。この勉強会では国内外の有名な研究所や企業の研究者を講師として招き，再生医療の最新トレンドや成果に関する講演をお願いしている。さらにこの勉強会の分科会として当センターでは“CPC 分科会”を開催・運営し，細胞培養施設（Cell Processing Center:CPC）の管理運営で，日常的に直面している課題や問題点を抽出し，それに対する当センターでの経験を踏まえ解決策の事例紹介をしている。また法令・ガイドライン上の解釈に関連する事項については，PMDA に対する照会事項として参加企業の意見を集約し，PMDA の見解をいただく形で神戸ポートアイランド地区に進出した再生医療関連企業の企業活動を細かく支援している。

3 神戸医療産業都市の企業の取り組み

1. ヒトiPS細胞から分化誘導した視細胞を用いた網膜再生医療の事業化に向けて

大日本住友製薬株式会社　再生・細胞医薬神戸センター　ティッシュエンジニアリンググループ　桑原　篤
大日本住友製薬株式会社　再生・細胞医薬神戸センター　センター長　岸野　晶祥
大日本住友製薬株式会社　取締役執行役員　木村　徹

神戸での再生医療の取り組み

幹細胞生物学分野は，日本のアカデミアが世界をリードして技術革新してきた。2006年に，京都大学の山中伸弥博士らによってiPS細胞が発明された[1)]。理化学研究所（理研CDB）では，笹井芳樹博士らによって，ES細胞から脳や網膜などさまざまな立体神経組織を試験管内で作りだす分化誘導法（SFEBq法）が開発された[2,3)]。これらの成果は，生物学としての重要性に加え，再生医療の技術基盤として大きな意味をもつ。すなわち，自己複製能をもち大量調製可能なヒトiPS細胞を出発原料として用いて，高品質の立体神経組織を分化誘導して作り，移植治療に用いるという再生医療の道が拓けた。応用研究は進み，2014年には，理研CDBの髙橋政代博士らによって，自家iPS細胞から作られた網膜色素上皮（retinal pigment epithelium, RPE）を用いた，加齢黄斑変性の治療が行われた[4)]。

このiPS細胞を用いた世界初の移植治療が行われた神戸では，医療産業都市構想のもと，先端医療振興財団・理研CDB・神戸中央市民病院を中心としたクラスターが形成されている。大日本住友製薬（DSP）は，神経再生の研究を1990年代から進めており[5)]，難治性の神経変性疾患に対する細胞医薬品の開発を目指し2014年に神戸に再生医療専門の研究拠点（現・再生・細胞医薬神戸センター）を開設した。当センターでは，複数の再生医療プロジェクトを進めているが，このうち理研CDBとの協働による視細胞を用いた網膜色素変性の再生医療に向けた研究開発を紹介する（図1）。

ES細胞・iPS細胞からの立体網膜の分化法の開発

再生医療研究に用いる視細胞の製法としては，理研CDBの笹井芳樹博士・永樂元次博士らは，2011年にSFEBq法という手法を開発し，試験管内でマウスES細胞から立体網膜組織（眼杯）を作ることに成功した[2)]。従来法では，視細胞や他の神経細胞を作ることはできていたが，分化効率は高くはなく，細胞が雑然と配列し，分化・成熟化が進まない課題があった。SFEBq法で作った立体網膜は，まるで生体の胎児組織のように視細胞や他の神経細胞が層構造を作って立体的に配列され，発生生物学の研究者が生体の組織サンプルと見間違えるほどの高品質の網膜であった。この製法はヒトES細胞に応用され，理研CDBと住友化学（株）の共同研究により，ヒト立体網膜への分化誘導に成功している[6)]。筆者らはSFEBq法を改良し，より選択的で高効率な網膜分化誘導法（BMP法）と，神経網膜とRPEとの間で細胞の運命を揺さぶる方法（揺り戻し法）を開発した[7)]。この分化法を用いることで，神経網膜とRPEが1つの凝集体の中に共存する，外観が野菜のカブに似た，新型ヒト立体網膜（図2，かぶら型立体網膜）を安定的に作成できるようになった。この「かぶら型立体網膜」は，網膜幹細胞ニッチ（毛様体縁）をもち，長期培養しても立

対象疾患	連携先	細胞種
慢性期脳梗塞	サンバイオ	他家MSC
加齢黄斑変性	ヘリオス 理化学研究所	他家iPS細胞由来 RPE
パーキンソン病	京都大学	他家iPS細胞由来 ドパミン神経前駆細胞
網膜色素変性	理化学研究所	他家iPS細胞由来 視細胞
脊髄損傷	慶應義塾大学 大阪医療センター	他家iPS細胞由来 神経前駆細胞

図１　大日本住友製薬の再生・細胞医薬分野の事業化計画

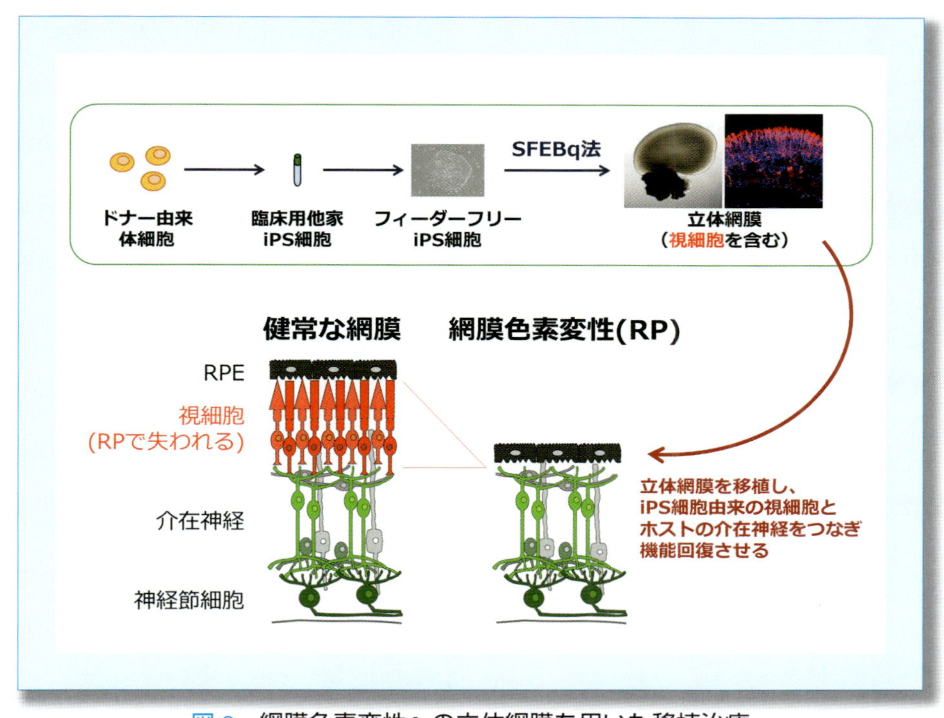

図２　網膜色素変性への立体網膜を用いた移植治療

体構造が崩れにくい特徴があるため，実際の生体の網膜によく似た高品質の立体網膜として安定的に培養できる[7]。

このSFEBq法を技術基盤として，DSPでは，理研CDBとの協働で，立体網膜を用いた再生医療の事業化を目指している（図2）。原材料となるのは，他家iPS細胞である。京都大学iPS細胞研究所（京大CiRA）は，ヒトiPS細胞の維持培養法として，再生医療に適用しやすいフィーダーフリー培養法を開発した[8]。当社では，フィーダーフリー培養したさまざまなES細胞・iPS細胞を，それぞれの細胞株にあわせて分化法を最適化する方法論を開発した。現在，他家iPS細胞から作った立体網膜を用いて，臨床応用に向けた製造法・品質管理法の技術開発を進めている。

立体網膜を用いた網膜色素変性の移植治療法の開発

立体網膜を実際の治療に用いるための研究開発は，理研CDBの髙橋政代博士・万代道子博士を中心としたチームにより進められている。最初に適応となる疾患が，網膜色素変性（retinitis pigmentosa, RP）という，視細胞が変性して社会的失明に至ることもある，遺伝性の網膜変性疾患である。日本に約3万人の患者がおり，QOLが低い疾患であるが，有効性が実証された治療法が存在しない。万代博士らは，マウスES細胞から作った立体網膜を，マウス網膜変性末期モデルの網膜下に移植したところ，生着し，視機能が回復することを実証した[9)]。また，当社との共同研究にて，ヒトES細胞から作った立体網膜を，サルの網膜変性モデルに移植したところ，ヒト視細胞が生着してホストの介在神経とシナプスを形成することを報告している[10)]。これらの結果は，網膜色素変性に対し，高品質の立体網膜を移植すれば，治療効果が得られる可能性があることを，少なくとも動物実験レベルで示している。

難治性の神経変性疾患をiPS細胞から作った立体組織を使って治療するという，10年前には夢のようだったコンセプトが，日本のアカデミア発の技術革新を基盤として，今まさに実現化しつつある。我々は，理研CDBとの緊密な連携のもと，立体網膜を網膜色素変性に対する細胞医薬として研究開発を進めている。立体網膜は，1 mm程度の大きさの細胞塊であり，連続の無菌製造工程が数か月にも及ぶ，世界に類例のない細胞医薬品となる。いかに安定的に製造し，品質管理し，有効性・安全性を担保していくかは，製薬企業研究者として直面している大きな課題である。幸いなことに神戸には，理研CDBをはじめ先端医療振興財団やPMDAなどもあり，最先端の科学者や規制当局とも日常的にディスカッションできる。この恵まれた環境を活かし，神戸で生まれた立体網膜を医薬品として完成させ，難治性疾患に苦しむ方々に治療の切り札として届けられるよう努力を続けたい。

参考文献

1）K. Takahashi, S. Yamanaka, Induction of pluripotent stem cells from mouse embryonic and adult fibroblast cultures by defined factors, Cell, 126, 663-76 （2006）
2）M. Eirakuら, Self-organizing optic-cup morphogenesis in three-dimensional culture, Nature, 472, 51-56（2011）
3）Y. Sasai, Next-generation regenerative medicine: organogenesis from stem cells in 3D culture, Cell Stem Cell, 12, 520-530（2013）
4）M. Mandaiら, Autologous Induced Stem-Cell-Derived Retinal Cells for Macular Degeneration, The New England Journal of Medicine, 376, 1038-1046 （2017）
5）S. Kanekoら, A selective Sema3A inhibitor enhances regenerative responses and functional recovery of the injured spinal cord, Nature Medicine, 12, 1380-1389（2006）
6）T. Nakanoら, Self-formation of optic cups and storable stratified neural retina from human ESCs, Cell Stem Cell, 10, 771-785（2012）
7）A. Kuwaharaら, Generation of a ciliary margin-like stem cell niche from self-organizing human retinal tissue, Nature Communications, 6, 6286（2015）
8）M. Nakagawaら, A novel efficient feeder-free culture system for the derivation of human induced pluripotent stem cells, Scientific Reports, 4, 3594 （2014）
9）M. Mandaiら, iPSC-Derived Retina Transplants Improve Vision in rd1 End-Stage Retinal-Degeneration Mice, Stem Cell Reports, 8, 69-83 （2017）
10）H. Shiraiら, Transplantation of human embryonic stem cell-derived retinal tissue in two primate models of retinal degeneration, Proc Natl Acad Sci U S A, 113, E81-90（2015）

3 神戸医療産業都市の企業の取り組み

2. iPS細胞等を活用した再生医療の実用化を目指して

株式会社ヘリオス　専務取締役兼CMO　澤田　昌典

はじめに

株式会社ヘリオスは2011年2月24日設立のバイオベンチャー企業である。

難治性疾患の治療法を提供すべく，iPS細胞等に関連する技術を利用した再生医療等製品（iPSC再生医薬品）の開発，製造等を中核的事業とするベンチャー企業として設立された。

7期目を迎えた現在，神戸研究所を中心に，iPSC再生医薬品分野に加えて体性幹細胞再生医薬品分野においても事業を進めている。

iPSC再生医薬品分野

iPSC再生医薬品は，iPS細胞を分化誘導（細胞を特定の機能を持った細胞，例えば神経細胞・皮膚細胞などに人為的に変化させること）して作製した人体と近似の機能を持つ細胞を移植することによって，機能不全に陥った細胞等を置換して機能を回復することを目的とする製品である。

■他家iPS細胞由来網膜色素上皮（RPE）細胞による加齢黄斑変性の治療法開発

当社は，日本国内においては，滲出型（ウエット型）加齢黄斑変性を適応疾患とし　欧米においては萎縮型（ドライ型）加齢黄斑変性を適応疾患として，他家iPS細胞由来RPE細胞による治療法の開発を進めている。

この治療法は，罹患者自身ではない第三者の細胞から作製され，安全性等に関する基準を満たしたiPS細胞を分化誘導して作製したRPE細胞を含む懸濁液（液体中に個体粒子が分散しているもの）を移植し，患部に定着させることにより感覚網膜への栄養補給や老廃物の分解機能を回復させ，視機能を改善させることを目指すものである。

国立研究開発法人理化学研究所（以下「理研」）の髙橋政代プロジェクトリーダー等が中心となって考案したiPS細胞からRPE細胞を分化誘導し移植する技術・知見を基礎として，量産化・品質の安定化等に向け，当社独自の技術･知見を加えて開発を進めている。

図1は，国内におけるiPS細胞の製造からiPSC再生医薬品として製剤化されたRPE細胞（以下「RPE細胞製品」）の罹患者への投与までの流れを示す。

当社は国内におけるRPE細胞製品を用いた加齢黄斑変性の治療法の開発を迅速かつ確実に進めるべく，大日本住友製薬株式会社（以下「大日本住友製薬」）との共同開発にて進めている。また，RPE細胞製品の製造や販売促進業務に関しては，大日本住友製薬が過去から培ってきた医薬品製造ノウハウや医薬品の販売網等を活かす形が望ましいと判断し，大日本住友製薬との両社共同出資により神戸市にて株式会社サイレジェン（以下「サイレジェン社」）を設立，国内における製造委託および販売促進業務を独占的に委託する予定である。現在サイレジェン社にてCPC（細胞培養センター：Cell Processing Centerの略）でのRPE細胞製造および条件最適化作業が進行している。

■臓器原基を用いた３次元臓器

当社は眼疾患の領域に加えて，アンメットメディカ

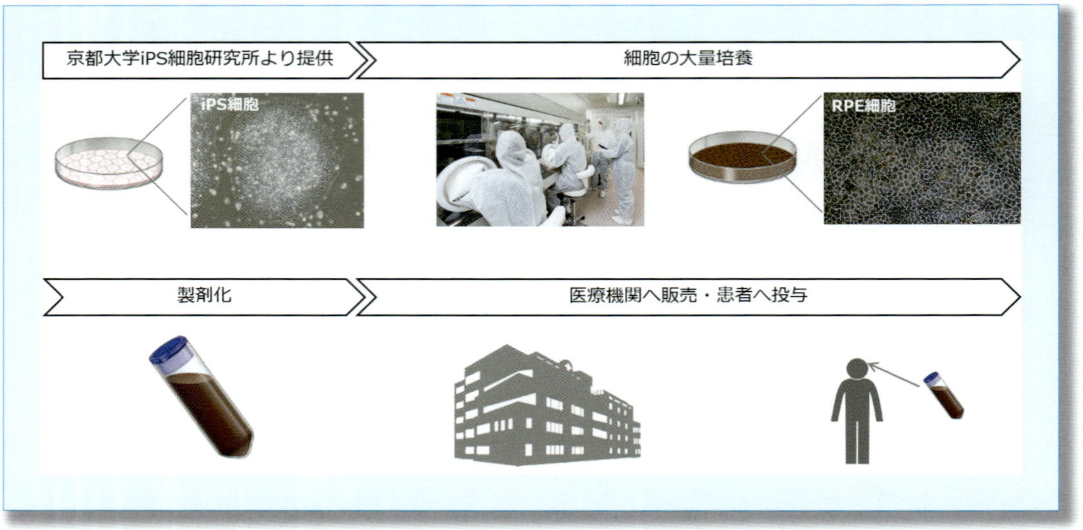

京都大学iPS細胞研究所より提供
細胞の大量培養
iPS細胞
RPE細胞
製剤化
医療機関へ販売・患者へ投与

図1

（註）本図は製造販売承認の取得後の流れを記載したものであり，現在準備を進めている状況になります。

ルニーズの高い他の領域における開発にも積極的に取り組んでいる。具体的な取り組みの一例が，公立大学法人横浜市立大学（以下，横浜市立大学）との全世界における独占的な特許実施許諾契約に基づく，臓器のもとになる臓器原基を人為的に作製する新規の細胞培養法を用いた機能的なヒト臓器の作製である。同技術は，胎内で細胞同士が協調し合って臓器が形成される過程を模倣するという発想から開発されたもので，3種類の細胞（内胚葉細胞，血管内皮細胞，間葉系幹細胞）を一緒に培養することで臓器のもとになる立体的な臓器原基（臓器の芽）を人為的に創出する新規の細胞培養法である。横浜市立大学では，平成31年に新生児の代表的な代謝性肝疾患である「尿素サイクル異常症」を対象とした臨床研究を実施する計画が進められている。

この実用化に向け，当社は代謝性肝疾患を対象とした再生医療等製品（3次元臓器）を開発するべく横浜市立大学との共同研究を進めている。肝臓は，たんぱく質など身体に必要なさまざまな物質を合成し，不要有害な物質を解毒，排泄するなど約500種類もの機能を，約2,000種類以上の酵素を用いて果たしている体内の化学工場といえる臓器である。代謝性肝疾患は，生まれつき特定の酵素が欠損していること等により必要な物質を作ることができない肝臓の疾患で，国内で年間約30名，欧米で年間約390名が新たに発症していると推定される。肝臓へ肝臓原基を注入し，機能的な肝臓に育てることで，生まれつき生産できない酵素を生産できるように肝臓機能を改善させることを目的とした再生医療等製品によって臓器移植の代替治療とするべく，ヒトへの移植が可能なヒト肝臓原基の大量製造方法の構築，さらに作製されたヒト肝臓原基の評価方法や移植方法の検討を進めている。

臓器が適切に機能しない疾患に対しては，機能を損なった臓器を健常な臓器へ置換する臓器移植が有効な治療法として実施されている。しかしながら，年々増大する臓器移植のニーズに対し，ドナー臓器の供給は絶対的に不足しており，iPS細胞等を用いて作製した臓器原基をヒトの体内に移植することによって機能的なヒト臓器を創り出すという新たな再生医療等製品（3次元臓器）は，臓器移植の代替治療としての新たな治療概念を提唱できるものと期待される。

■ iPSC再生医薬品分野における新しい取り組み

当社は米国Universal Cells, Inc.とHLA型に関わりなく免疫拒絶のリスクの少ない，次世代のiPS細胞の開発を目指し，同社の持つ遺伝子編集技術を基に共同研究を進めている。

体性幹細胞再生医薬品分野

体性幹細胞再生医薬品は，生体のさまざまな組織にある幹細胞である「体性幹細胞」を利用して，現在有効な治療法のない疾患等に対する新たな治療法を開発することを目的とする製品である。

■脳梗塞急性期に対する治療法開発

当社は，米国 Athersys, Inc.（以下「アサシス社」）とのライセンス契約により，同社が特許権・特許実施許諾権を有する幹細胞製品 MultiStem® を用いた脳梗塞に対する細胞治療医薬品の国内における開発を進めている。

脳梗塞は，脳の血管が詰まることにより，その先に酸素や栄養分が届かなくなり，詰まった先の神経細胞が時間の経過とともに壊死していく病気である。日本の年間発症患者数は 23 万人～ 33 万人（総務省資料及び Datamonitor 等を基に当社推定），死亡者数は年間約 6 万 4 千人（厚生労働省　人口動態統計）と推定され，発症した患者さんの中には死亡を免れても機能障害が残り，寝たきりや日常生活に介護が必要となる場合があることが知られている。脳梗塞に対しては，脳の血管に詰まった血の塊を溶かす血栓溶解剤 t-PA を用いた治療が行われているが，血栓溶解剤の処方は発症後 4 時間半以内に限定されており，脳梗塞発症後に治療できる時間がより長い新薬の開発が待たれる疾患領域となっている。アサシス社が創製した幹細胞製品 MultiStem® は，静脈注射により投与され，脾臓に分布して炎症免疫細胞の活性化を抑制することにより炎症や免疫反応を抑えて神経細胞の損傷を抑制し，神経保護物質を産生して治療効果を発揮すると考えられている。

本製品は，すでにアサシス社によって欧米にて第Ⅱ相試験が行われ，当社は国内において脳梗塞発症後 18 時間から 36 時間以内の患者を対象とした，有効性および安全性を検討するプラセボ対照二重盲検第Ⅱ/Ⅲ相試験を実施している。

『「生きる」を増やす。爆発的に』というミッションの下，日本の誇る細胞技術等を用いてアンメットメディカルニーズにこたえるべく開発を進めてまいりたいと考えている。

3 神戸医療産業都市の企業の取り組み
3. 毛髪再生医療の産業化

株式会社資生堂　グローバルイノベーションセンターライフサイエンス研究センター　再生医療開発室長　岸本　治郎
株式会社資生堂　グローバルイノベーションセンター　川西　聡政
株式会社資生堂　グローバルイノベーションセンター　相馬　勤
株式会社資生堂　グローバルイノベーションセンター　佐藤　敬

はじめに

当社は「美しい生活文化の創造」の実現をビジョンに掲げている。中核である化粧品事業から新たな成長分野を選定するに当たり，健康を維持し，生活を豊かにし，美しい生活文化を提供できる再生医療による薄毛・脱毛治療，いわゆる毛髪再生医療にターゲットを絞り，実用化のための研究開発を行っている。これまでの研究開発の背景，そして再生新法下での細胞加工施設として神戸医療産業都市を選択した経緯や現在の取り組み状況について概説したい。

DSC 細胞を用いた脱毛治療

薄毛・脱毛症として壮年性脱毛症，円形脱毛症，休止期脱毛症などが知られ，壮年性脱毛症の頻度が最も高い。男性では男性ホルモンの影響が大きいことから，男性型脱毛症とも呼ばれる。ヒトの場合，数年に及び成長することで一定以上の太さに達するが，壮年性脱毛症では十分に成長しない細く短い毛髪の割合が増えることで，頭頂部や前頭部を中心に頭皮が透けて見えるようになる。また，最近では壮年性脱毛症に悩む女性も増加しており，男性と異なり全体的に毛髪の減少や細りが進むパターンを示す。これら壮年性脱毛症の治療には医薬品あるいは医薬部外品の育毛料の使用が一般的ではあるが，米国を中心に自毛植毛術も多く実施され，術式の進歩に伴い日本でも広がっている。ただし，これらの治療法にも一長一短があり，脱毛症の悩みがすべて解決されている訳ではない。特に，男性ホルモン阻害薬が適用されない女性や，外傷などで完全に毛包が失われた場合の治療法は限られるため，新しい治療手段の開発が望まれる。その一つに再生医療があり，我々を含むいくつかの研究グループの基礎研究を経て，自家毛乳頭細胞を用いたヒト臨床試験，ベンチャー企業が実施している段階にある。

我々も毛乳頭細胞（DP 細胞）を中心に基礎研究を進めてきたが，McElwee らが報告したより高い再生能が期待される毛球部毛根鞘細胞（DSC 細胞）[1] に着目し，実用化を目指すこととした。DSC 細胞は毛球部の下端に分布する毛乳頭細胞に類似する細胞であり，DP 細胞の供給源として高い再生能力を有することが明らかになっている。すでに McElwee らが設立したレプリセル社によって，欧州で自家 DSC 細胞移植の臨床試験が実施され，安全性の確認に加えて有効性の可能性が示唆されるなど，現時点で実用化に最も近い位置にあると考えている。

再生医療安全確保法（再生医療新法）下での産業化の取り組み

2014 年 11 月に「医薬品，医療機器等の品質，有効性及び安全性の確保等に関する法律」（以下，「薬機法」）」及び「再生医療等の安全性の確保等に関する法律」（以下，「再生医療新法」）の２法が施行され，日本は世界でも早期に再生医療を安全に患者に提供できる法的環境が整い，医療機関，企業共に研究段階であったものが早期に開発できる可能性が高まった。再生医療新法は医師法下に位置する法規であり，今まで自由診療等として行われてきた細胞治療に関し，提供計画を事前提出しなければならないなど規制当局が実態を把握する機会を設けた。一方，今まで医療機関内で施術の一部として行われなければならなかった細胞培養等を，外部企業等に細胞培養加工を委託できる規制緩和的制度も設けられることになった。資生堂は，この国全体の環境変化を新たな市場創出の機会と捉え，医療機関から委託細胞培養製造を行う「細胞培養加工業」にチャレンジすることとした。

資生堂は，細胞培養加工のターゲットとして，上述のDSC細胞を選択し，この細胞を用いた脱毛症治療の実用化を目指すこととした。東京の医療機関2施設と共同研究を行い，医師主導の臨床研究「壮年性脱毛症に対する，培養ヒト毛球部毛根鞘細胞（DSCC）移植に関する臨床研究」に参画しており，2016年より，医療機関が認定委員会で承認を得，提供計画を届け出，受理された臨床研究が開始されている。資生堂はこの臨床研究において特定細胞加工物の製造を分担し，神戸にあるCPC施設ですべての培養加工を行っている。

神戸医療産業都市での細胞加工の取り組み（図1）

細胞委託を受ける外部機関は民間企業を含めてさまざまな事業者が実施可能であるが，医療機関（クリニック）内で細胞加工を実施する場合，実施する施設（医院）を届け出るだけなのに対し，外部の民間企業等のCPC施設の場合は，現地にPMDA担当者が赴き，事前に構造設備の適性が厳格に審査された後に，各地域の厚生局から許可を得る，という手続きが必要となる。安全で品質を担保した細胞加工製造を実現するには，審査対象の構造設備（ハード要件）に止まらず，作業手順書の整備や品質管理体制の構築も必須であり，実質はそれらソフト面もあわせて評価されると考えられる。神戸に新たに設立したCPC施設は資生堂細胞加工培養センター（Shiseido cell-Processing Expansion Center）と名付け，細胞加工施設の拠点として，2014年から稼働しており，2015年6月には上述のPMDAの査察を得て，施設許可を得ている。

新たなCPC施設設置場所の選定にあたっては当社の研究施設のある地元の横浜市始め，複数のエリアが候補に挙がったが，検討していた当時においては神戸の先端医療地域がさまざまな観点から魅力的であり，進出を決めた。神戸は関西3大都市圏の一つで，交通や物流の便が良いうえに，現地での人材採用の面からも有利であり，さらに医療産業都市に関連する企業が

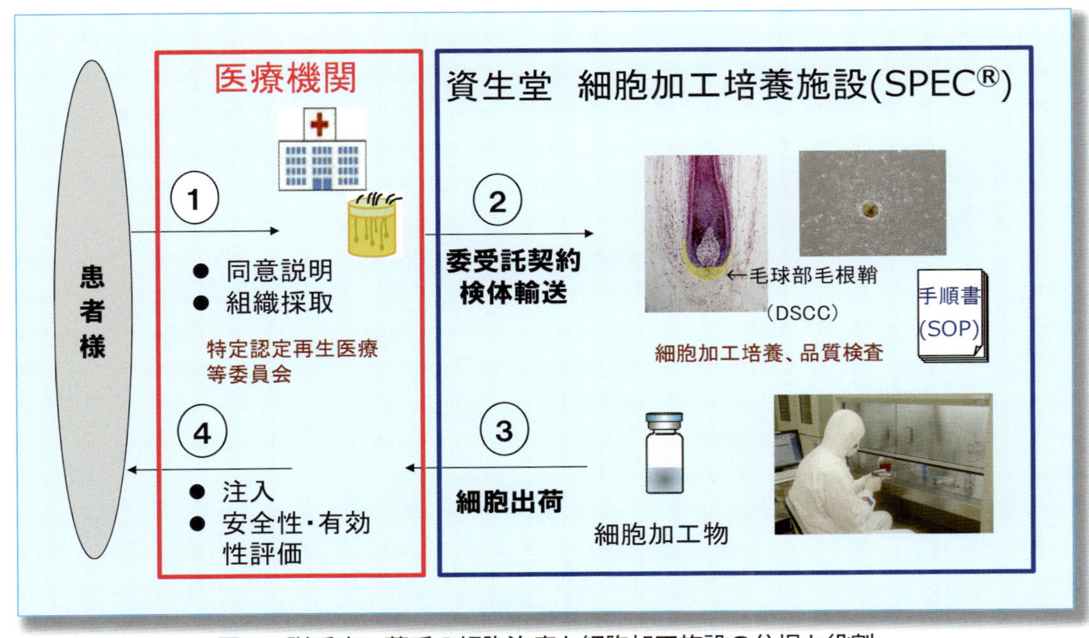

図1 脱毛症・薄毛の細胞治療と細胞加工施設の分担と役割

集結しているため，CPC 運営に必要なさまざまなアライアンス先を探すのも容易であった。特に CPC 施設の運営が初めての当社にとって，その指導助言にあたるコンサルタントとの関係は重要で，同都市内に拠点を構え，施設の運営管理の実績が豊富な公益財団法人先端医療振興財団，および神戸都市振興サービス株式会社から，細胞培養加工施設の運営に関するさまざまなアドバイスを受けられたことが，早期に細胞加工施設の許可取得が実現できた大きな要素といえる。

また許可取得後も，施設内作業者には熟練度向上や，業務委託先企業との有機的な連携の検証のほか，細胞培養状況に即した作業シフト管理など，施設を効率的に運営するための仕組みの定着が，円滑かつ継続的な受託業務遂行には不可欠であると実感している。

おわりに

既存の治療法では解決できない脱毛症の治療に自家細胞の移植という再生医療の技術が応用されれば，QOL 向上に貢献できる社会的インパクト，および産業面からも意義は大きく，再生医療全体の産業化推進にも貢献できると考えている。神戸に居を構えた CPC 施設を拠点に，今後早期の実用化に向けて医療機関と手を携えて研究を加速させたい。

引用文献

1) Cultured peribulbar dermal sheath cells can induce hair follicle development and contribute to the dermal sheath and dermal papilla. McElwee KJ, Kissling S, Wenzel E, Huth A, Hoffmann R. J Invest Dermatol. 2003 Dec;121(6):1267-75.

第2章 再生医療・細胞医療産業の最前

4 再生・細胞医療の産業化に向けた神奈川県の戦略

神奈川県ヘルスケア・ニューフロンティア推進統括官 **山口健太郎**

はじめに

平成28年4月，神奈川県が再生・細胞医療の産業化拠点として，公民共同で整備を進めていたライフイノベーションセンター（LIC）が供用を開始した。

また，同年8月25日には黒岩知事が出席し，総勢約200名の参加者を迎えて，開所式を執り行った。

LICの整備は，本県が，超高齢社会を乗り越えるため，「最先端医療・最新技術の追求」と「未病の改善」という2つのアプローチを融合して推進している「ヘルスケア・ニューフロンティア」構想に基づく取り組みの一つであり，本稿では，整備に向けた背景や，LICを中核としたネットワーク構想など，本県が展開する再生・細胞医療の産業化に向けた戦略について，ご紹介させていただく。

再生・細胞医療の産業化に向けて

■神奈川のポテンシャル

産業化を促進するためには，革新的な技術を有するベンチャー企業や事業化をサポートする関係機関の集積が欠かせないが，都市・交通基盤が充実し，人材・情報・技術が集積することで，産業化はより一層加速される。

神奈川は，羽田空港に隣接し，充実した交通ネットワーク網が整備されており，関連企業や研究機関も多数集積している。さらに，首都圏人口は3,500万人を超えており，市場としての魅力も高く，大きなポテンシャルを有している。

■川崎市殿町区域（キングスカイフロント）で進む産業集積

本県では高い成長が期待される再生・細胞医療分野の産業化に向け，さまざまな取り組みを進めており，その中核を担うのがLICである。

LICは，国家戦略特区（東京圏）と京浜臨海部ライフイノベーション国家戦略特区のエリアである，川崎市の殿町区域（キングスカイフロント）に立地しているが，近年，この地域には，ライフサイエンス産業関連機関の集積が進み，産業拠点としての魅力や価値が飛躍的に高まっている。

すでに稼動している施設として，再生医療による脊椎損傷やアルツハイマー治療などの先端医療の実現を目指し，実験動物の研究開発等を行っている「(公財）実験動物中央研究所再生医療・新薬開発センター」，産学官によるナノ医療の研究開発に取り組む「ナノ医療イノベーションセンター」，国内外の医師が年間約1万人訪れ，医療機器のトレーニングなどを行う「ジョンソン・エンド・ジョンソン㈱東京サイエンスセンター」，放射性医薬品等の製造販売を行う「富士フイルムＲＩファーマ㈱」などがある。

また，今後整備される施設として，医薬品，食品等の品質，安全性並びに有効性の評価に関する試験・研究などを行う「国立医薬品食品衛生研究所」，アイソトープ製品の試験・研究開発，供給関連業務などを行う「(公社）日本アイソトープ協会」，特殊ペプチドによる創薬研究開発を行う「ペプチドリーム㈱」などがあり，いずれも平成29年度までに竣工・運営開始の予定である。

川崎生命科学・
環境研究センター
ナノ医療
イノベーションセンター
CYBERDYNE
（サイバーダイン）
東急ホテルズ
ライフ
イノベーション
センター
実験動物中央研究所
大和ハウス工業
LIC
ペプチドリーム
富士フイルム
RIファーマ
JSR
国立医薬品
食品衛生研究所
日本アイソトープ協会
クリエート
メディック
殿町IC
首都高速神奈川1号川崎線
川澄化学工業
ジョンソン・エンド・ジョンソン
東京サイエンスセンター
殿町三丁目

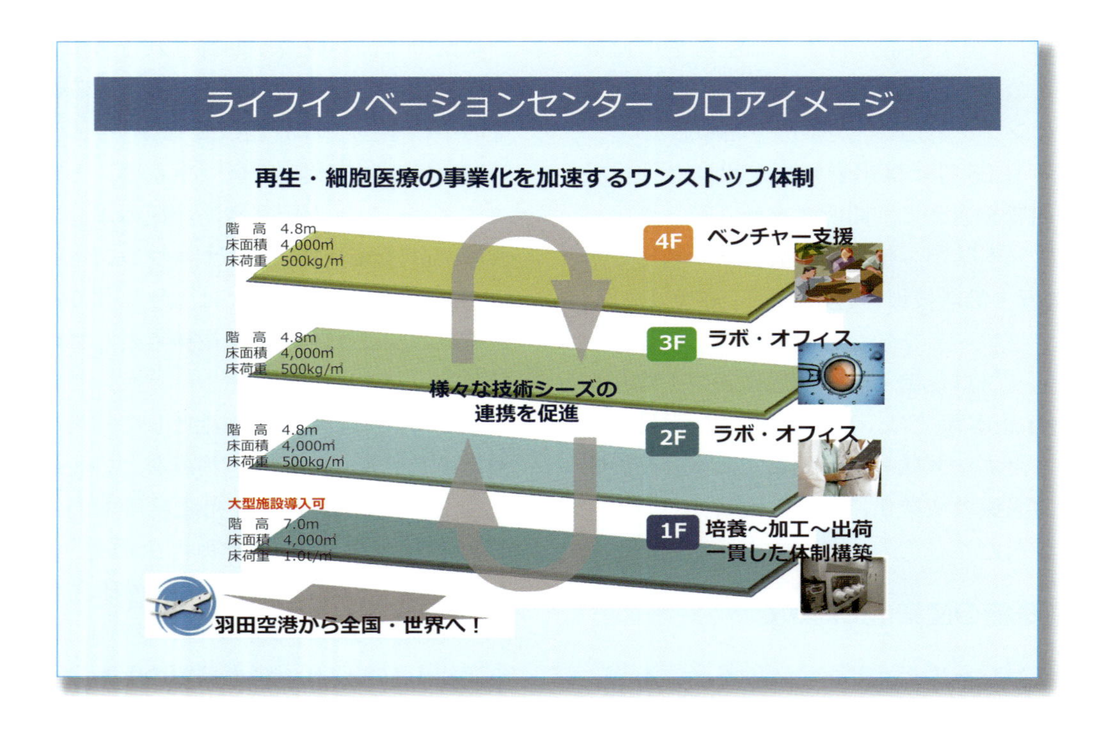

さらに，この区域の対岸には，東京国際（羽田）空港が位置している。2020年までに羽田空港と殿町を結ぶ連絡道路の整備が決定されており，連絡道路が整備されれば，羽田空港から徒歩圏の距離となり，この地域の魅力がより一層高まることになる。

ライフイノベーションセンターと再生・細胞医療の産業化に係る本県施策

■ライフイノベーションセンターの整備

LICでは，このようなポテンシャルの高い殿町区域において，がん免疫療法などの「治療」，軟骨や心筋シートなどの「再生医療等製品」，薬剤開発の毒性試験への応用などの「創薬支援」という，三つの出口戦略を軸に産業化に向けた取組みを推進していく。

LICは再生・細胞医療の実用化・産業化の促進に向けて，研究開発から細胞の製造・品質管理，出荷までワンストップ体制のフィールドを提供する4階建て延床面積約16,000㎡の施設として，平成28年4月に供用を開始した。

整備に当たっては，県が土地を購入して，パートナーシップ契約を結んだ大和ハウス工業㈱等に無償貸与し，建物を整備する公民共同事業として実施した。

また，特区制度を活用して国費を建設費に充当しており，これらにより安価な賃料での提供が可能になっている。

施設は，全室ウェットラボ対応であり，1階は細胞の培養や加工を行う大型機器も導入可能な設備になっており，2階～4階部分はラボ・オフィス向けの仕様となっている。その中で，4階部分はベンチャー企業向けフロアと位置付け，小規模なオフィススペースも用意しており，経営支援などソフト面との連携を図りながら，ベンチャー企業が持つ有望なシーズの実用化を促進していく。

このように，LICは，一貫した流れで再生医療等製品などの実用化・生産プロセスのスピード化を図ることができる施設である。

入居を公表した事業者は，革新的遺伝子治療製剤の研究・開発及び製造を行う㈱遺伝子治療研究所，がん免疫治療薬の研究開発等を行う㈱グリーンペプタイド，iPS細胞由来分化細胞の開発，製造，販売等を行うセルラー・ダイナミクス・インターナショナル・ジャパン㈱，再生医療等に利用される細胞の受託製造等を行うタカラバイオ㈱，3次元ヒト組織体創製を目指した精密3D細胞プリントの基盤技術開発等を行う㈱リコーなど24事業者（平成29年2月23日現在）であり，iPS細胞の開発・製造等を行う企業や大学・研究機関発のベンチャー企業，そして海外の機関など多彩な顔ぶれとなっている。

さらに，国家戦略特区による規制緩和などを活用し，他に先駆けた実証事業などを展開していく。

■かながわ再生・細胞医療産業化ネットワーク（RINK）

また，本県では，このようなLICを核として，国内外からの企業・研究機関等の集積と，有望な技術の実用化・産業化の促進を図っている。

その取り組みの一つが，かながわ再生・細胞医療産業化ネットワーク（Regenerative medicine & Cell therapy industrialization network of Kanagawa = RINK）である。

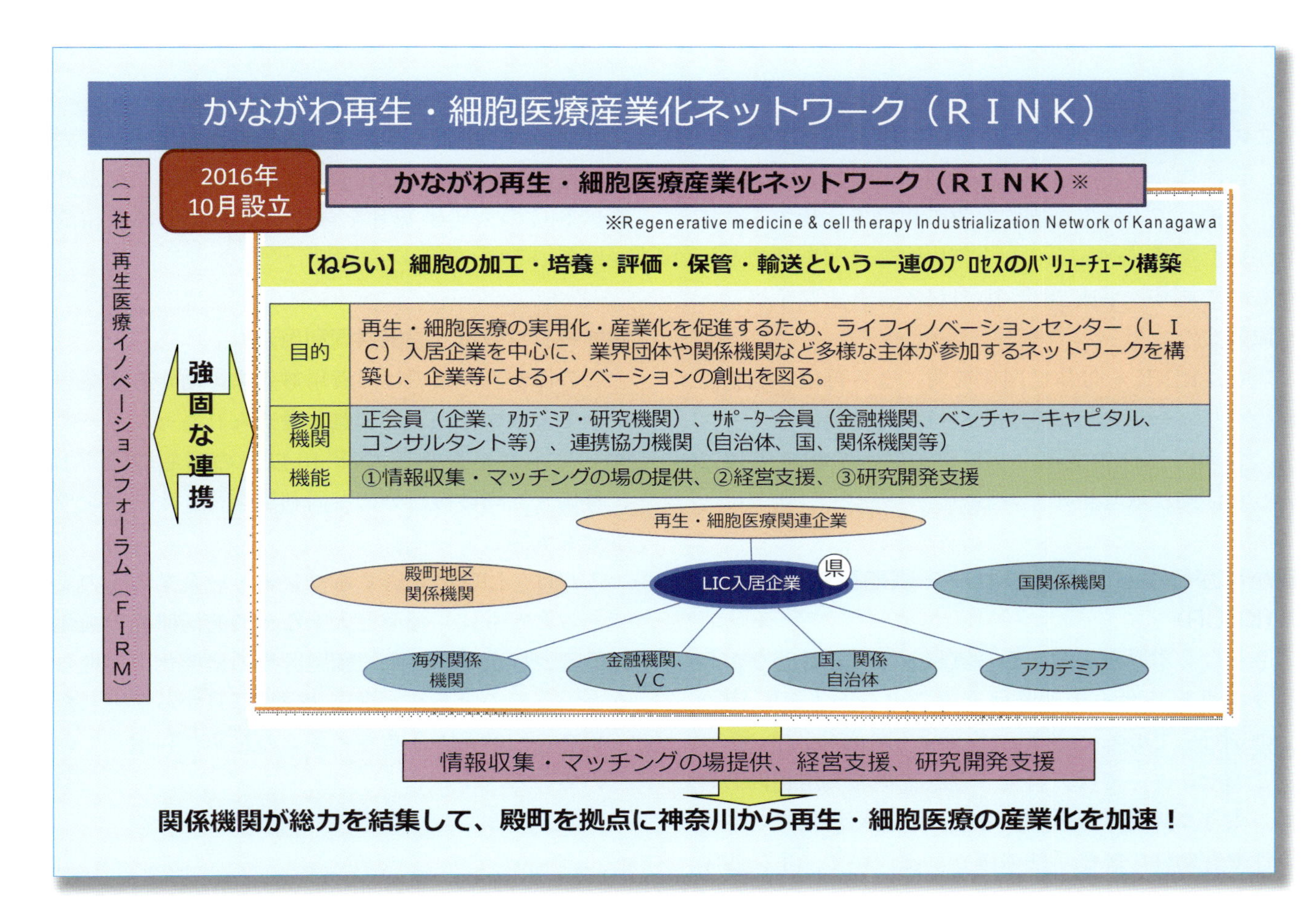

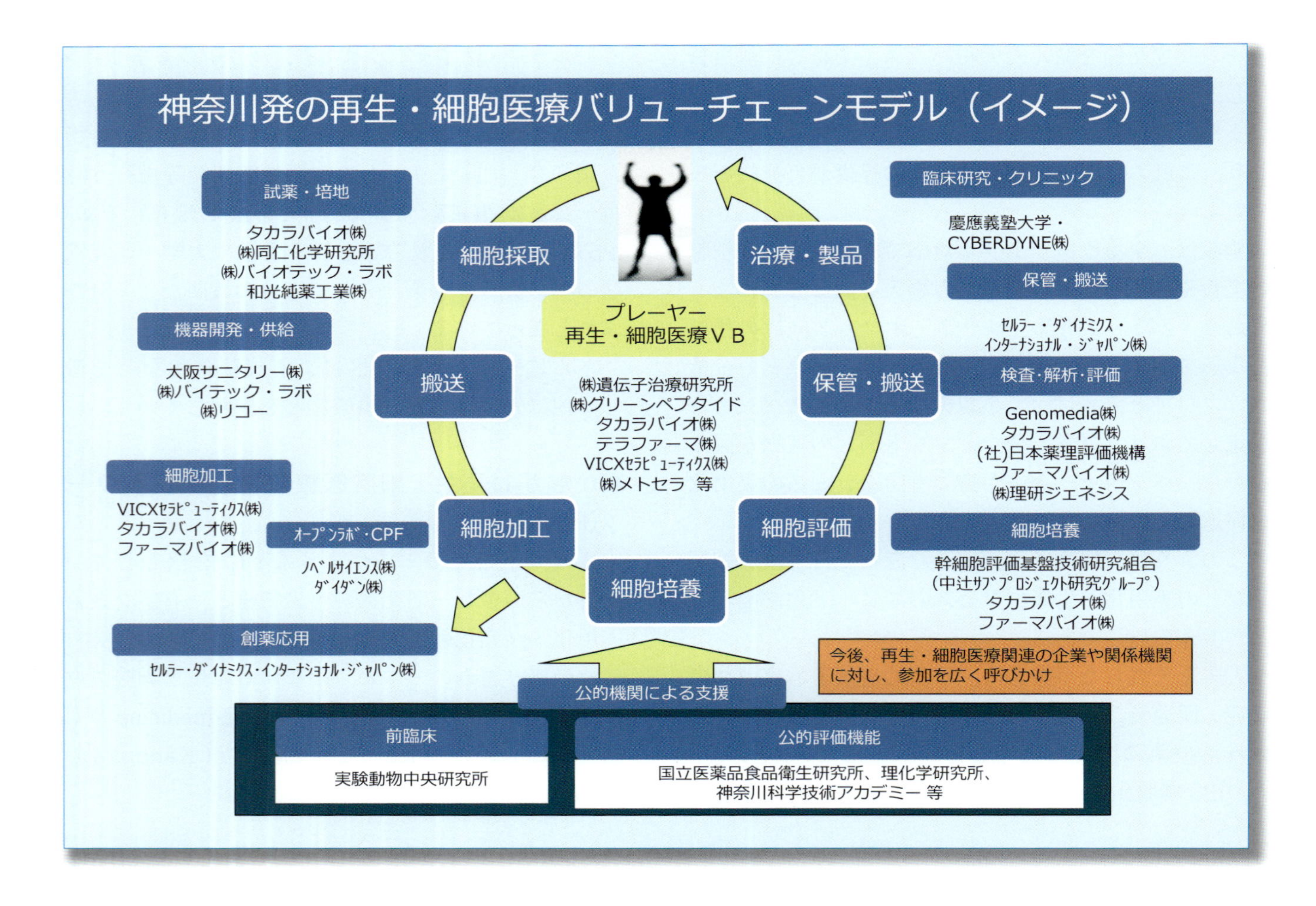

このネットワークは，LIC の入居事業者を中心に，国，自治体，業界団体や関係機関など多様な主体が参加，連携して，再生・細胞医療の現場で活躍する企業等が新たなイノベーションを創出することを目的としたものであり，平成 28 年 10 月にキックオフイベントを開催した。

現在，RINK を母体に関係機関による再生・細胞医療のバリューチェーン構築に向けて，定期的なイベント，企業間連携の促進，プロジェクトの組成支援といった活動に取り組んでいる。

■かながわクリニカルリサーチ戦略研究センター（KCCR）

さらに，本県が一昨年から実施している「かながわクリニカルリサーチ戦略研究センター」も LIC 内で活動を行っている。

このセンターでは，再生・細胞医療の実用化において，大きな課題となっている臨床研究や治験での「安全性や有効性の評価手法の確立」について，主に臨床統計学の専門分野を中心に，米国スタンフォード大学とも連携しながら，総合的な支援を行うものであり，既に LIC の入居事業者を含む複数の企業から相談を受けている。

■オープンラボ（設備共同利用）

このほか，本県では，費用対効果の面から企業等が単独で整備することが困難と考えられるセルソーターやリアルタイム PCR など 10 以上の高額機器を LIC に整備し，当該機器等の共同利用を行うオープンラボ事業も実施している。

これは，LIC に入居するベンチャー企業等への支援であるとともに，企業と大学などの共同研究の強化も図ることにより，再生・細胞医療の産業化を促進しようというものであり，平成 28 年 10 月から稼動した。

現在，LIC 入居企業など多くの企業に利用していただいている。

■ベンチャー支援

本県では，ベンチャー企業等が行う再生・細胞医療分野のプロジェクト支援にも力を入れている。

具体的には，再生・細胞医療及び関連分野の有望な技術シーズの実用化など，ベンチャー・中小企業が行う事業化プロジェクトを支援するもので，平成27年度から実施している。

平成27年度は6件，28年度は9件採択した。

実施にあたっては，ベンチャー企業の事業化支援に30年以上の実績を有する株式会社ケイエスピーが，ハンズオンで担っており，それぞれの事業ステージに合わせ，研究開発とビジネス展開の両面から事業化を目指して支援している。

また，平成29年度からは県が出資する，県主導のファンドも組成する。成長分野のリーディングカンパニー輩出を目指し，資金面・経営面でも最大限のサポートをしたいと考えている。

■リサーチコンプレックス推進プログラム

また，川崎市や関係機関と連携しながら取り組む「リサーチコンプレックス推進プログラム」について，殿町地区を主な拠点として提案を行い，平成28年9月に本採択となった。

このプログラムを活用して，中核機関となる慶應義塾大学を中心に，地域に集積する産・学・官・金（金融機関）の各機関が，国内外の異分野融合による最先端の研究開発，成果の事業化，人材育成を一体的に展開する。

■海外との連携

本県は，平成27年11月に英国政府主導の世界有数の産業推進機構である「セルアンドジーンセラピー・カタパルト」との間で，再生・細胞医療分野の産業化に向けた今後の連携と協働に関する覚書（MOU）を，日本の行政機関としては初めて締結した。

このMOUに基づく取り組みの一環として，平成28年2月に殿町において，来日した同団体の幹部等とライフサイエンスに係るセミナーを開催した。

また，同年11月には，知事が米国を訪問し，スタンフォード大学との間でもMOUを締結している。

その他，スコットランド国際開発庁との共催セミナーや，州政府の関係機関であるカリフォルニア再生医療機構（CIRM）とも連携方策の協議などを行うなど，グローバルな連携にも力を入れている。

まとめ

これまで述べてきたように，本県では，再生・細胞医療の産業化に向けて，ライフイノベーションセンターを核に，さまざまな事業や支援策を展開している。

企業等には，県の支援策や県が築いたネットワークを活用し，再生・細胞医療に関する製品やサービスを海外展開するなど，グローバル市場を勝ち取るような活躍を期待したい。

今後も引き続き，国内外の企業や大学，関係団体等の皆様と連携し，イノベーションを早期に生み出すよう，全力で取り組んでいきたい。

再生医療イノベーションフォーラム（FIRM）の概要と神奈川県との連携

再生医療イノベーションフォーラム（FIRM）運営委員長 **横川拓哉**

今注目されている再生医療は，新たな製品開発に加えて，細胞製品の製造，加工や品質検査など新たなインフラ整備も必要で，広い技術領域で新たな成長産業として期待されています。

再生医療の普及と産業化を目指す業界団体として2011年に設立した再生医療イノベーションフォーラム（FIRM）は，活動を開始してこの6月で満6年になります。FIRMでは再生医療について遺伝子治療，細胞治療を含む再生医療と定義しています。再生医療の産業化を推進するFIRMと神奈川県は力を合わせ，再生医療の産業化拠点整備をLICで進めてきました。

再生医療に関係するさまざまな企業が集積することにより，再生医療に必要な機能をワンストップで提供できる産業拠点となり，再生医療の産業実証を目指しています。加えて，入所企業相互の技術や情報交流，立地条件の良さを生かした国内外とのネットワーク構築にも大変便利です。また，オープンラボは，国内外のベンチャー企業が商品開発を始めるときに，少ない経費負担で最新の研究ができる環境が整備されています。

ライフイノベーションセンターの活動は，FIRMで推進している再生医療クロスロード（3ヵ月ごとに開催している国内外再生医療製品の開発パートナリングイベント）や再生医療ベンチャー創設支援セミナー（製品シーズを有するアカデミアとベンチャーキャピタルおよび企業経営人材との出会いの場で，かつ起業に関する情報交換を行うセミナー。3ヵ月ごとに開催中。）とも相互に協力して推進しています。

Regenerative Medicine Crossroad@

FIRMは神奈川県だけではなく，神戸（先端医療財団），大阪（近畿経済局），京都（KRP）で活躍している種々の産業推進団体とも深く連携し，再生医療の普及と産業化に取り組んでいます。

第2章 再生医療・細胞医療産業の最前線

5 ライフイノベーションセンター（LIC）入居企業の取り組み

1．遺伝子治療の未来を切り開く

株式会社遺伝子治療研究所 代表取締役 浅井 克仁

会社概要

株式会社遺伝子治療研究所は，自治医科大学特命教授の村松慎一氏，宇都宮セントラルクリニック代表の佐藤俊彦氏，および代表の浅井克仁氏が2014年5月に設立し，日本発の遺伝子治療のリーディングカンパニーを目指し，遺伝子治療の実用化を目的とした研究開発に取り組んでいる。

本社は神奈川県川崎市川崎区殿町のライフイノベーションセンターに設置し，資本金147.5百万円，従業員数13名（2017年1月現在）の業容を擁する。

共同設立者の村松教授は，パーキンソン病，アルツハイマー病，筋萎縮性側索硬化症など中枢神経（CNS）疾患に対する遺伝子治療研究の先駆者であり，脳や脊髄に効率的に遺伝子導入するためのAAV（アデノ随伴ウイルス）ベクターの開発に携わってきた。

事業内容

■事業概要

同社は，村松教授が自治医科大学で創製したAAVベクター技術を基盤技術として，CNS領域の疾患に対する *in vivo* 遺伝子治療の薬事承認を目指した研究開発と，AAVベクターを大量生産するためのバキュロ製法のプロセス開発に取り組んでいる。

同社の基盤技術であるAAVベクターは，治療用目的遺伝子を高い効率で神経細胞に導入することができ，また安全性も高いため，近年欧米を中心とした研究チームが臨床応用に取り組んでいる。

■開発パイプライン

同社では現在4品目の遺伝子治療用製剤の開発を行っている。これらはすべて，単回投与で長期間の効果発現を期待するものである。

i）パーキンソン病，AADC欠損症

最も先行する「AAV2-hAADC」は，2型AAVベクターに芳香族L－アミノ酸脱炭酸酵素（AADC）の発現遺伝子を組み込んだもの。投与にあたっては，定位脳手術により被殻内に注入する。同剤はパーキンソン病と，希少疾患であるAADC欠損症の2つの適応症で開発している。このうち，パーキンソン病は，大脳の線条体でのドパミン不足が症状を生み出しているため，ドパミンの素となるL-Dopaを補うことが標準治療になる。しかし，病状が進行したパーキンソン病患者においては，L-Dopaをドパミンへ変換する酵素であるAADCも不足するため，L-Dopaを投与してもドパミンを生成できなくなる。同剤の治療コンセプトは，被殻内の神経細胞にAADC遺伝子を導入し，AADCを持続的に生成させることによって，AADCを介したL-Dopaからドパミンへの変換機能を回復させることである。同社は，患者の利便性を高めるべく，AADCを含む3つの酵素の遺伝子をベクターに搭載することによって，L-Dopaの服薬を必要としない遺伝子治療薬の開発も進めている。

ii）筋萎縮性側索硬化症（ALS）

ALSに対しては，AAV2/9型のベクターにADAR2の遺伝子を搭載した遺伝子治療薬「AAV2/9-

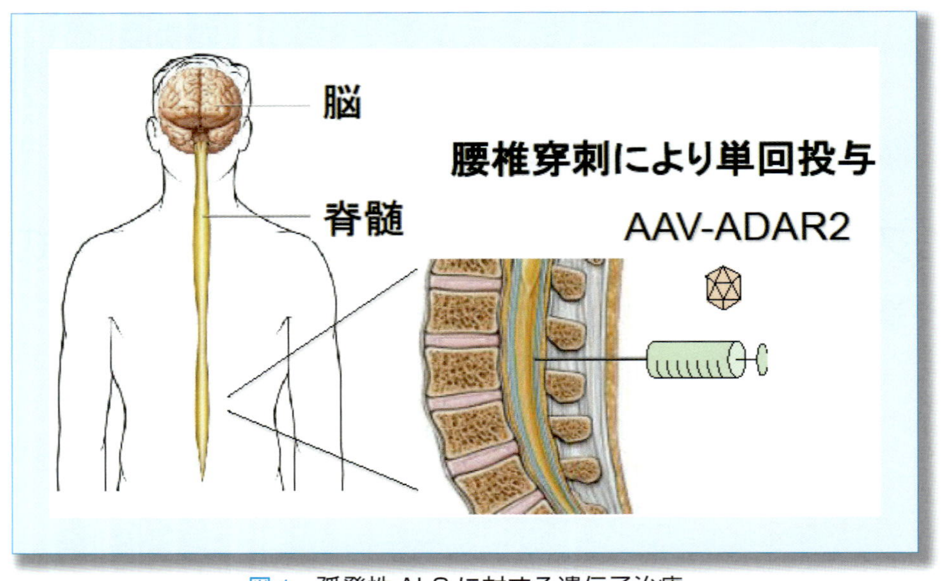

図1　孤発性ALSに対する遺伝子治療
（AAVベクターの髄腔内投与）

hADAR2」（図1）を開発している。これは，同社の顧問である東京大学客員研究員 郭伸博士が解明したALSの分子病態モデルに基づいたアプローチである。すなわち，ALS患者の運動ニューロンにおいては，RNA編集酵素であるADAR2の発現が低下しており，これが運動ニューロンの細胞死の直接原因となっている。同社の開発品は運動ニューロンにおけるADAR2活性を正常化させることによって，運動ニューロン死を阻止し，ALSの病状の進行を食い止めるもの。また，同開発品は，脳や脊髄の運動ニューロンに幅広くADAR2を導入するため，AAV2/9ベクターを腰椎から髄腔内投与する（図1）。

ⅲ）アルツハイマー病

アルツハイマー病に対しては，アミロイドβペプチドを分解する酵素であるネプリライシンを搭載した遺伝子治療薬「AAV2/9-hNEP」の開発を進めている。同開発品は，髄腔内投与によって，脳内の神経細胞にのみネプリライシン遺伝子を発現させることができる。ネプリライシンが脳内のアミロイドやアミロイドβオリゴマーの量を減少させることで，アルツハイマー病の進行を抑制し症状を回復させる。さらに，同開発品はアルツハイマー病の発症予防の効果も見込まれている。同開発品が治療と予防の両面で販売承認を取得して，その投与が普及すれば，大きな市場を形成すると期待される。

ⅳ）脊髄小脳失調症（1型）

脊髄小脳失調症1型（SCA1）に対しては，ベクター「AAV2/9-hHMGB1」の開発を進めている。SCA1は研究の歴史が最も長く，分子病態解明が最も進んでいる脊髄小脳失調症である。東京医科歯科大学の岡澤教授らは，DNA構造調整蛋白質のHMGB1が減少し，核とミトコンドリアのDNA修復障害および転写障害を介して小脳神経細胞の機能失調と細胞死を生じさせることを明らかにし，加えてSCA1疾患遺伝子ノックインマウスを対象にHMGB1を搭載したAAVベクターによる遺伝子治療を行い，運動機能の回復と寿命の顕著な延長に成功した。この成果は病態修飾治療への壁を破る可能性を示すもので，今後，SCA1だけでなくハンチントン病などのポリグルタミン病をはじめ神経変性疾患に対するHMGB1の遺伝子治療の開発につながるものと期待される。

■先端技術の導入

ⅰ）AAVベクターのバキュロ製法

同社が開発中のAAVベクターのバキュロ製法は，浮遊昆虫細胞とバキュロウイルスを用いて，目的の遺伝子改変ベクターを大量に生産するもの。これによって，AAVベクター製剤を大規模かつ安価に供給することができる。

ii）神経系細胞への遺伝子導入のためのアデノ随伴ウイルスビリオン

同社が開発する改良型 AAV ベクターは，自治医科大学の村松教授を発明者として，2015 年 3 月に国内特許が成立し，2016 年 5 月には欧州でも特許登録されている。AAV の外被蛋白（カプシド）の一部のアミノ酸を改変するとともに，神経細胞やグリア細胞で選択的に治療用遺伝子を発現させるためのプロモーターを組み込んでいる。この改良型 AAV ベクターは血液脳関門・髄液脳関門を透過することができるため CNS 疾患に適したベクターである。

今後の見通し

川崎市内の製造施設は，200L の培養槽を備える。200L 規模のバキュロ製法による AAV ベクターの製造開発は，日本では同社が初めてとなる。同社の製法が確立されれば，AAV ベクターに搭載する目的遺伝子を容易に変更して，さまざまな疾患に対する遺伝子治療薬の製剤開発を迅速かつ低コストで行うことが期待される。

5 ライフイノベーションセンター（LIC）入居企業の取り組み

2. 特定の線維芽細胞を用いた心筋再生医療

株式会社メトセラ　代表取締役　最高経営・技術責任者　岩宮　貴紘

はじめに

線維芽細胞は，生体のさまざまな臓器に存在するヘテロな間質細胞の1種である。臓器の炎症に応じて，増殖因子やサイトカインの分泌，細胞外マトリックスの産生と分解を行い，多様な細胞間相互作用を介して臓器の機能を調節する役割を担う。興味深いことに，線維芽細胞は生体にとって必ずしも“良い”働きをするだけではなく，線維症やがんなどの疾患においても，病的な環境を維持し，病気を進行させる特性を有する[1,2]。このように生体にとって“良く”も“悪く”も，臓器の微小環境（microenvironment）を維持・調節する線維芽細胞の分子生物学的な定義は未だ不明瞭であり，Vimentin[3]やfibroblast-specific protein 1（FSP-1）[4]，discoidin domain receptor 2（DDR2）[5]をはじめとする線維芽細胞のマーカータンパク質はいくつか報告されているものの，線維芽細胞に特異的なタンパク質は未だ発見されていない。また，臓器ごとに線維芽細胞が発現する遺伝子・タンパク質は大きく異なり[6]，各々の臓器の微小環境を維持・調節する作用機序は明らかにされていない[7]。

このような背景のもと，当社ではヘテロな細胞集団である線維芽細胞をバイオインフォマティクスにより解析・分類することで，vascular cell adhesion molecule-1（VCAM-1）を発現する特定の心臓線維芽細胞群（VCF）が，心筋再生においてユニークかつ重要な働きを担っていることを発見した。本稿では，VCFによる心筋再生効果と細胞治療薬としての可能性の一部を紹介する。

VCFによる心筋再生効果

一般に，成体に存在する心筋細胞はほとんど細胞増殖することはないため，重症心不全などの心筋細胞が大量に壊死する病気においては，心臓移植しか最終的な治療法がないのが現状である。しかしながら胚発生においては，granulocyte-colony stimulating factor（G-CSF）[8]や，心臓線維芽細胞によるβ1インテグリンシグナル[9]を介した心筋細胞の増殖効果が報告されており，急性心筋梗塞においても，FGF1/p38 MAPK inhibitor[10]が心筋細胞の増殖をもたらすことが明らかとなっている。したがって病気により，心筋細胞が大量に壊死した心臓領域で，残存するホストの心筋細胞を大量に増殖することができれば，心機能を改善することが可能となる。当社では心臓線維芽細胞がヘテロな細胞集団であることを明らかにし，そのうちVCAM-1タンパク質を発現する心臓線維芽細胞（VCF）が，成熟した胚性幹細胞（ES細胞）由来の心筋細胞を有意に増殖させることを明らかにした（図1A）。

また心筋細胞の増殖と同様に，細胞移動（遊走）は，心臓の修復・再生において重要な役割を果たしている。骨格筋が傷害を受け再生する際，筋サテライト細胞が傷害部位に遊走し，細胞分裂して筋肉の再生を促すのは広く知られた反応であるが，心筋梗塞においても，thymosin β4が心筋細胞の遊走を促し心機能の回復を行うことが知られている[11]。当社はVCFと心筋細胞を用いて*in vitro*で心筋組織を作成したところ，心筋細胞が遊走能を獲得し（図1B），強固な心筋

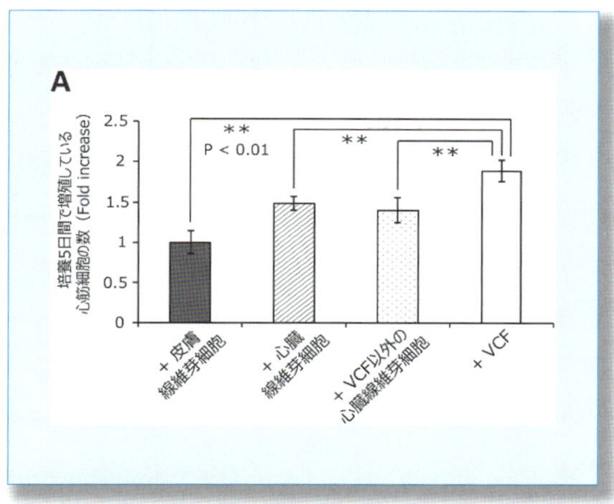

A. VCF による心筋細胞の増殖
心筋細胞と各種の線維芽細胞を共培養し，ハイコンテントスクリーニングにより Cardiac Troponin T（心筋細胞特異的マーカー）陽性，Ki67（細胞分裂マーカー）陽性の心筋細胞数を計測したところ，VCF によって心筋細胞の増殖率が有意に上昇した。皮膚線維芽細胞を共培養した条件では心筋細胞の分裂を確認できなかったため，control として用いた。

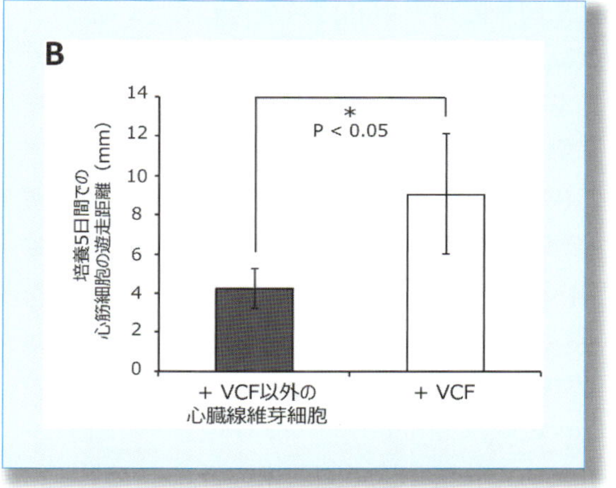

B. VCF による心筋細胞遊走の効果
VCF と，VCF 以外の心臓線維芽細胞を心筋細胞と共培養し，タイムラプス動画の動画解析を実施したところ，VCF が心筋細胞の遊走能を大きく向上させた。

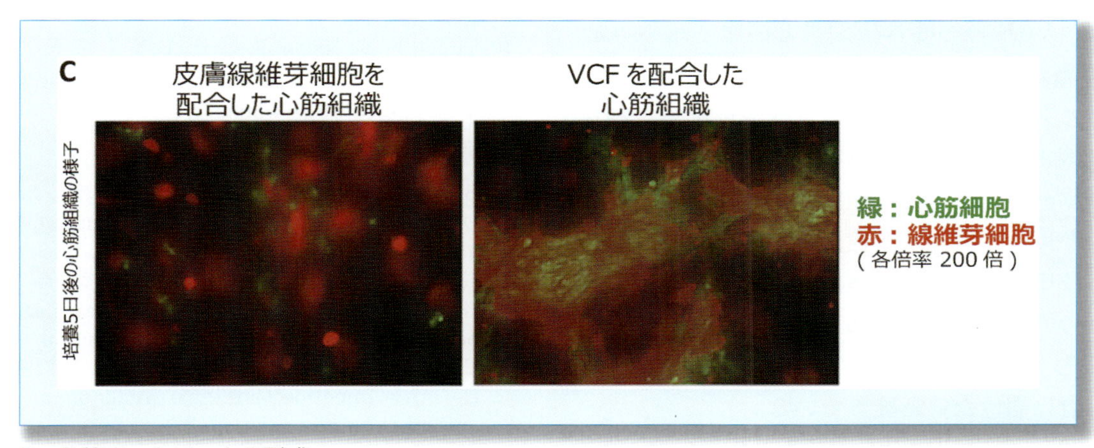

C. 心筋ネットワークの形成
VCF を配合した心筋組織を作成したところ，心筋細胞に VCF が絡み合い，太く強固な心筋ネットワークが構築された。皮膚線維芽細胞を用いて作成した心筋組織では，心筋ネットワークの構築が行われないだけでなく，心筋細胞は皮膚線維芽細胞に埋もれ，組織として一様に拍動（同期的収縮）することはなかった。

図 1　VCF による心筋再生反応

ネットワークの形成を促すことを明らかにした（図 1C）。

VCF の実用化

in vitro において特殊な培養プロセスを適用せずとも高い増殖能を有す VCF は，生検により採取した微量の心臓組織からでも短期間に必要数を回収することが可能で，大量培養に適した特徴を備えている。また，心臓線維芽細胞の 1 種であるため腫瘍性を有さず，線維症の原因となる線維芽細胞とは異なる細胞種のため，安全性が高いという特徴も有する。これらの特徴を踏まえて，当社では VCF が心不全向けの細胞治療薬として高い可能性を秘めていると考えており，現在は，効率の高い VCF の生産プロセス確立に向けて，重点的に研究開発を行っている。

細胞治療の臨床応用に向けては，安全で有効性の高い細胞の投与方法の確立も重要な課題である。心筋梗塞や心不全を対象疾患とした細胞治療による臨床試験は，すでに米国や欧州を中心に多数行われているが，これらの試験では主に特殊な心臓カテーテルを用いて細胞の投与を行っている。心臓カテーテルによる細胞の投与は，患者への侵襲性が低く，梗塞部位に直接アプローチできるメリットが存在する一方，投与細胞がほとんど定着せず，そのほとんどが血流に乗って全身へと流れ出てしまうことが問題となっていた。しかし，最近では米BioCardia社のHelix transendocardial delivery system™[12]や，ベルギーCelyad社のC-Cathez Injection Catheter™[13]などにより，長らく問題視されていた移植細胞の定着率の低さが克服されつつある[14]。本稿では割愛したが，当社でも注射器を用いたVCFの動物移植実験において，高い心不全治療効果を確認しており，今後は，心臓カテーテルを用いた移植技術の確立を目指したいと考えている。

おわりに

本稿では，VCFの心筋再生効果と臨床応用の可能性について概説した。VCFの臨床応用に向けては，上述したポイント以外にも，検討すべき点は多く残されている。例えば，生物由来原料基準を満たす培養プロセスの確立や，心不全の重症度に応じた製品のカスタマイズなどは今後の重要な検討課題となるだろう。当社では，臨床医との密接な連携やさまざまな研究機関・企業との共同研究などを通じて，こうした課題を着実に克服し，VCFを活用した細胞治療を一刻も早く心不全患者に届けたいと願っている。

参考文献

1) Longo, D. L., Rockey, D. C., Bell, P. D. & Hill, J. a. Fibrosis — A Common Pathway to Organ Injury and Failure. *N. Engl. J. Med.* **372**, 1138–1149, 2015.
2) Mueller, M. M. & Fusenig, N. E. Friends or foes - bipolar effects of the tumour stroma in cancer. *Nat. Rev. Cancer* **4**, 839–49, 2004.
3) Tissue, P. *et al.* An Immunohistochemical Method for Identifying Fibroblasts in The Journal of Histochemistry & Cytochemistry. *J. Histochem. Cytochem.* **56**, 347–358, 2008.
4) Kong, P., Christia, P., Saxena, A., Su, Y. & Frangogiannis, N. G. Lack of specificity of fibroblast-specific protein 1 in cardiac remodeling and fibrosis. *Am. J. Physiol. - Hear. Circ. Physiol.* **305**, H1363–H1372, 2013.
5) Goldsmith, E. C. et al. Organization of fibroblasts in the heart. *Dev. Dyn.* **230**, 787–794, 2004.
6) Chang, H. Y. et al. Diversity, topographic differentiation, and positional memory in human fibroblasts. *Proc. Natl. Acad. Sci.* **99**, 12877–12882, 2002.
7) Ivey, M. J. & Tallquist, M. D. Defining the Cardiac Fibroblast. *Circ. J.* **80**, 2016.
8) Shimoji, K. *et al.* G-CSF Promotes the Proliferation of Developing Cardiomyocytes In Vivo and in Derivation from ESCs and iPSCs. *Cell Stem Cell* **6**, 227–237, 2010.
9) Ieda, M. *et al.* Cardiac Fibroblasts Regulate Myocardial Proliferation through B1 Integrin Signaling. *Dev. Cell* **16**, 233–244, 2009.
10) Engel, F. B., Hsieh, P. C. H., Lee, R. T. & Keating, M. T. FGF1/p38 MAP kinase inhibitor therapy induces cardiomyocyte mitosis, reduces scarring, and rescues function after myocardial infarction. *Proc. Natl. Acad. Sci. U. S. A.* **103**, 15546–15551, 2006.
11) Bock-Marquette, I., Saxena, A., White, M. D., Michael DiMaio, J. & Srivastava, D. Thymosin β4 activates integrin-linked kinase and promotes cardiac cell migration, survival and cardiac repair. *Nature* **432**, 466–472, 2004.
12) Helix Biotherapeutic Delivery. Available at: http://www.biocardia.com/product_pipeline/helix.shtml.
13) Cardio3 BioSciences Announces CE Marking for its C-Cath® Injection Catheter. Available at: http://www.celyad.com/news/cardio3-biosciences-announces-ce-marking-for-its-c-cath-injection-catheter.
14) Behfar, A. *et al.* Optimized Delivery System Achieves Enhanced Endomyocardial Stem Cell Retention. *Circ. Cardiovasc. Interv.* **6**, 710–718, 2013.

第2章 再生医療・細胞医療産業の最前線

5 ライフイノベーションセンター（LIC）入居企業の取り組み
3. 再生・細胞医療産業化に向けたグリーンペプタイドの取り組み

株式会社グリーンペプタイド 医薬開発部開発企画グループ 森 正

はじめに

現在当社は，富士フイルム株式会社に導出済みの前立腺がんを適応症とするITK-1および，海外向け戦略開発品でありメラノーマ（悪性黒色腫）を第1適応症とするGRN-1201の2つを主要パイプラインとしているが，今後の更なる成長を目指してこれらに続く新たなシーズ・技術基盤の拡充を進めてきた。そのひとつの領域として現行の研究開発テーマと親和性が高く，がん免疫療法において大きな期待が寄せられているT細胞療法への参入を図るため（図1），「再生・細胞医療分野」の実用化・産業化を目指し，関連の研究機関等の集積が進む川崎市川崎区殿町区域（京浜臨海部ライフイノベーション国際戦略総合特区内）に新たに建設されたライフイノベーションセンター（LIC）への入居を果たし，準備を進めてきた。

弊社の再生・細胞治療薬開発の取り組み

当社はこの度，2016年11月21日付のプレスリリースにて発表の通り，アドバンスト・イミュノセラピー（AIT）社を子会社化した。AIT社は中内啓光東京大学医科学研究所教授兼スタンフォード大学教授等による発明の国内およびアジアにおける事業化を目指して設立され，iPS技術を利用した再生医療のがん免疫療

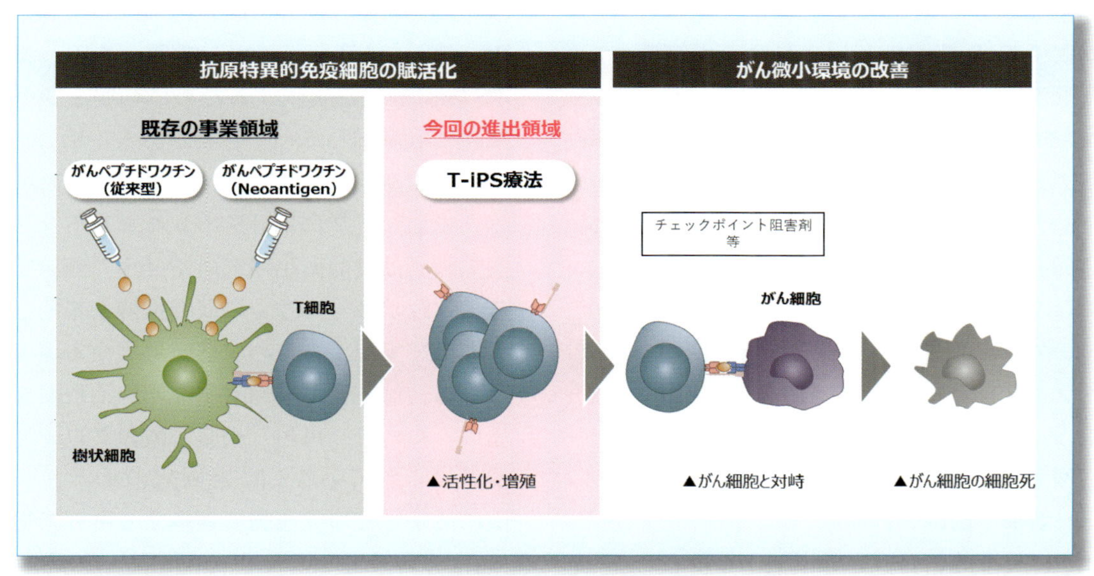

図1 免疫治療の2つの柱である，抗原特異的な免疫細胞の賦活化と，（チェックポイント阻害を含む）がん微小環境の改善のうち，前者を手当てすることによりがん細胞を直接排除することにより，がんの治療を図る。

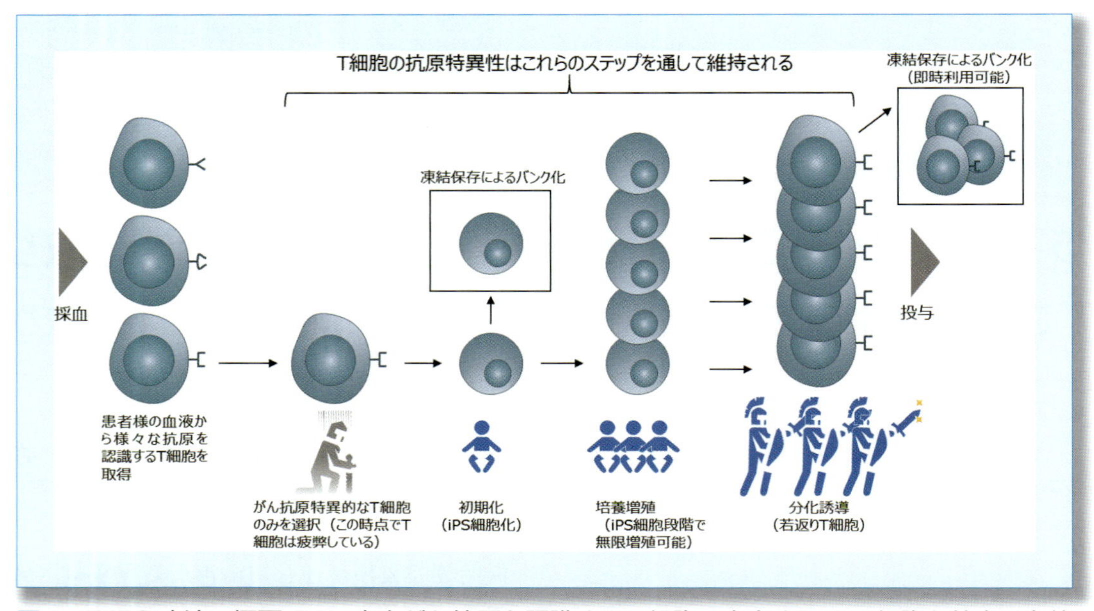

図２ T-iPS 療法の概要 EBV 由来がん抗原を認識するＴ細胞に由来する iPS 細胞を特定の条件で再分化させることにより iPS 化前と同様に EBV 由来がん抗原を認識するＴ細胞の性質を保持した若返りＴ細胞を無限に増殖させることが可能となる。これをバンク化し EBV に起因するがんの治療薬とする。

法分野への世界初の応用を目指し研究開発を行っている。同社は，iPS 技術を用いて T 細胞を再生させる（若返らせる）ことにより，がん免疫療法においてこれまで課題とされてきたがん細胞を攻撃する T 細胞の疲弊を防ぐ技術を保有するとともに，同じく iPS 細胞療法で課題とされてきたさまざまな過程で起こりうる副作用を回避する独自の技術も保有している。また，iPS 技術により T 細胞の他家利用（患者以外のドナーの提供する T 細胞の利用）により，高額となることが予想されているがん免疫細胞療法において大きなコスト抑制効果が得られるものと考えている。当初はコンセプトを示しやすいウィルス性血液がんの一種である EB ウィルス性リンパ腫での開発を進めるが（図2），将来的には固形がんを含む需要の大きな適応症へ展開することを予定している。当社の保有するがんペプチドワクチンに関する豊富な技術と情報ならびにペプチドライブラリーが，iPS 技術により作りだされる抗原特異的 T 細胞の認識するエピトープ解析や，より治療効果の高い T 細胞の発見につながるというシナジー効果が期待される。

上記のように将来的には大きな成長が期待される T 細胞療法だが，iPS 技術を利用した開発に当たっては，越えなければならない課題をひとつずつ克服しながら進んでいくことになる。医薬品としての再生医療等製品を製造するためには，細胞加工施設（Cell Processing Center （CPC））としての要件に加えて，製造管理や品質管理の手法が再生医療等製品の製造管理および品質管理の基準である GCTP（Good Gene, Cellular, and Tissue-based Products Manufacturing Practice）に適合している必要がある。また，安全な iPS 細胞療法を実現するために必要なレギュレトリー試験にも対応していく必要がある。幸い，LIC 内にも GCTP に適合予定の CPC 施設も幾つか建設中である。また，近隣には iPS のレギュレトリーに精通する国立医薬品食品衛生研究所や iPS の臨床応用で先行する大学医学部等，多くの研究機関が集約しており，臨床応用を実現するために切磋琢磨する環境が整っている。当社は一日も早く有望な細胞治療薬を患者さんに届けるために，再生・細胞医療のグローバル拠点に位置付けられている LIC と周辺のネットワークを最大限に活かして研究開発に邁進する所存である。

（図は弊社プレスリリース資料を改変）

第２章　再生医療・細胞医療産業の最前線

5

ライフイノベーションセンター（LIC）入居企業の取り組み

4. バイオ３Dプリンターを用いた３次元ヒト細胞組織体の構築

株式会社リコー　リコー未来技術研究所　バイオメディカル研究室　室長　**田野　隆徳**

背景

リコーではヘルスケア分野を，社会課題の解決に取組む分野の一つとして位置付けている。これは，高齢化社会への対応，医療費削減，地域間の医療水準格差解消などが社会的に求められているからである。これまで基盤事業であるプリンティングシステムやドキュメントのソリューションを医療機関向けに提供してきたが，新たに「ヘルスケア IT」，「メディカルイメージング」，「バイオメディカル」の３つの重点領域を設定し，基盤技術から応用までさまざまな取り組みを進めている。バイオメディカル領域では，再生医療等への応用を目指し，立体空間における精密位置制御が可能で高い生産性を併せ持つ 3D プリンター技術を展開した細胞を３次元的に配置するバイオ 3D プリンター並びにこれを用いた３次元ヒト組織体の研究開発を行っている[1)]。図１に，バイオ 3D プリンターを用いた組織モデル構築とその応用領域を示す。iPS 細胞（人工多能性幹細胞）が発見されたことでさまざまな細胞を分化誘導により作り出すことが可能となってきた。これにより，病気や怪我で失われてしまった機能を回復させる再生医療の実現が，世界的に期待されている。人体外における細胞の平面培養では，ヒト組織としての機能が十分に再現できないことが多い。それゆえ生体に近い組織構造を再現するには，複数種類の細胞を適切に配置し，３次元的に組み立てる必要がある。例えば心臓モデルを作製する場合，心筋細胞，血管内皮細胞，心臓線維芽細胞といった細胞を，吐出可能となるよう調整しインクとする。これらを，あたかも産業用インクジェットインクのシアン，マゼンタ，イエローのようにヘッドからそれぞれの所望の位置へと吐出する。専用基板や培養容器上に繰り返しヘッド

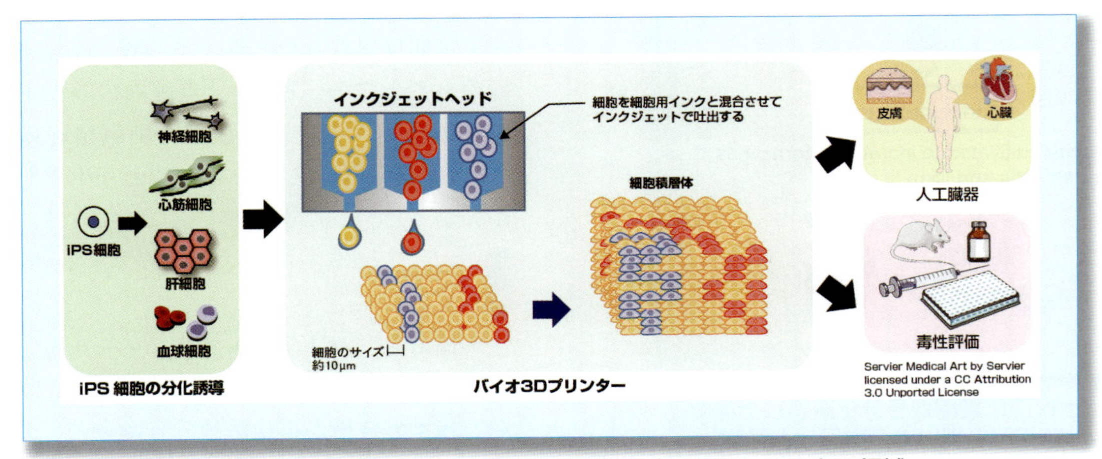

図１　バイオ３Dプリンターを用いた組織モデル構築とその応用領域

を走査していくことで細胞を積層化する（図１）。作製した３次元生体組織モデルは，人工臓器として再生医療に貢献できるばかりでなく，病気の原因解明，新しい薬の開発，薬や化粧品の安全性・毒性評価などへの展開も有望と考えている[2～4]。リコーでは細胞を高精度に配置できる独自のインクジェット方式を用いたバイオ3Dプリンターの開発を進めており，本稿ではこれを用いた３次元ヒト細胞組織体の構築技術について紹介する。

バイオ３Ｄプリンターによる３次元ヒト細胞組織体作製

図２は，ヒトiPS細胞から分化誘導した種々心筋細胞を用いて３次元ヒト細胞組織体を作製する工程を示している。まずインク化工程として２種類のタンパク質（フィブロネクチンとゼラチン）が細胞表面に交互にコーティングされている[5]。ハンドリングによる物理的ダメージから細胞を守る役割と，積層時に細胞間接着を促す役割がある。続いてこの細胞を用いてバイオ3Dプリンターにて所望の位置に吐出し積層化する。最後に積層化した心筋細胞同士が相互作用を起こし拍動が起きるまで連続培養する。

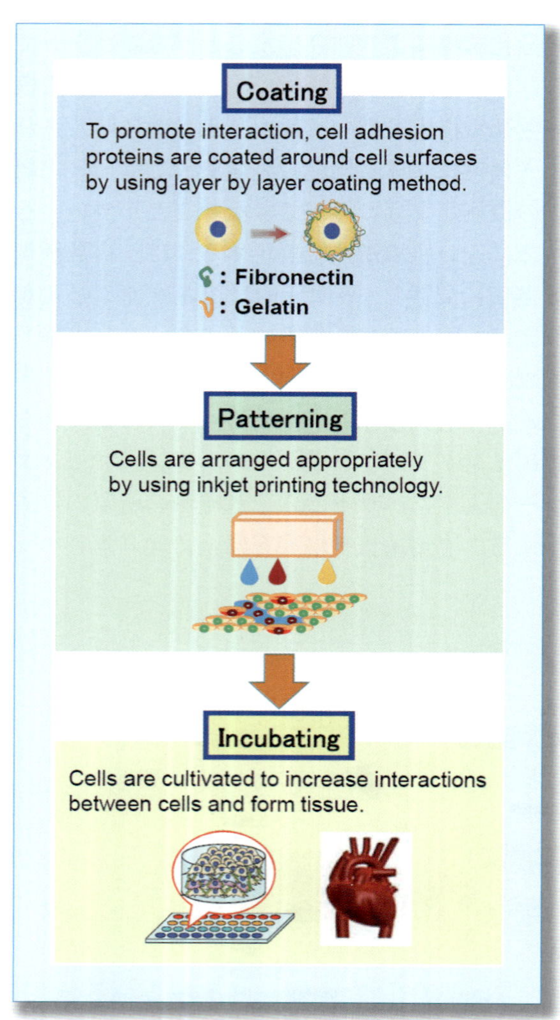

図２　ヒトiPS細胞から分化誘導した種々心筋細胞を用いて３次元ヒト細胞組織体を作製するプロセス

培養条件は37℃，二酸化炭素濃度5%，湿度100%である。サイズによるが4日を経過すると，部分々々で生じていた拍動が組織体全体に亘り均一な拍動となる。

組織体は用途により異なったサイズを提供することが可能である。薬剤スクリーニングとして創薬メーカが開発している新薬の心筋への影響を評価するための組織体はウェルプレートに収まるサイズで提供する。一方で心筋梗塞などで心臓組織の一部が壊死した場合，患者にあったサイズの組織体を提供する必要があるが，この時に問題となるのは，組織体のサイズがある一定以上になると内部の細胞に十分な酸素や栄養が行き届かなくなることである。我々は十分な大きさの細胞組織体を構築するため，太い血管構造を作製する技術を開発している。

図３にバイオ3Dプリンターにより作製した擬似血管ならびにヒト細胞積層体を示す。図３左において点線部分には細胞が含まれておらず幅が約370 μmの空洞構造となっている。この空洞部分が血管のモデルを示す。緑色は蛍光染色したヒト正常線維芽細胞である。右図は赤色と緑色に蛍光染色したヒト正常線維芽細胞を10層（約300 μm）積層したものである。

大阪大学にご協力いただき，血管細胞ならびに心筋細胞からなる細胞積層体をラットの心臓に移植した。約１週間後に取り出しラット心臓の移植部分の断面を観察したところ（図４），点線内のラットの血管に由来する細胞（赤）と移植した細胞積層体の血管細胞（緑）が同じところに分布しており生着していることが分かった。

まとめ

本稿では，バイオ3Dプリンターを用いた種々細胞からなる３次元細胞組織体構築技術について紹介した。我々の技術が再生医療分野躍進の一助となれば幸いである。

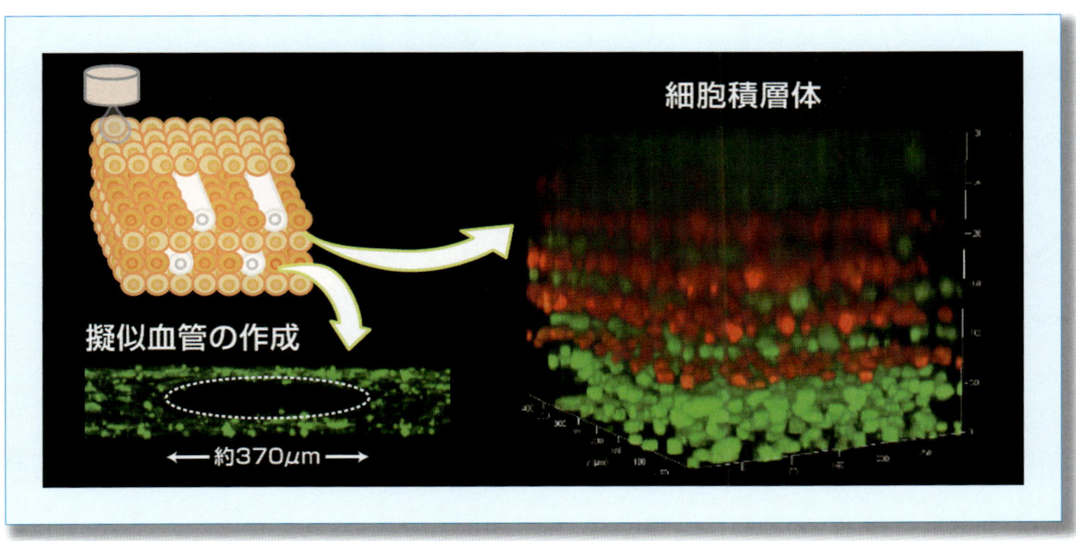

図３　バイオ３Ｄプリンターによる擬似血管の作製ならびにヒト細胞積層体の作製

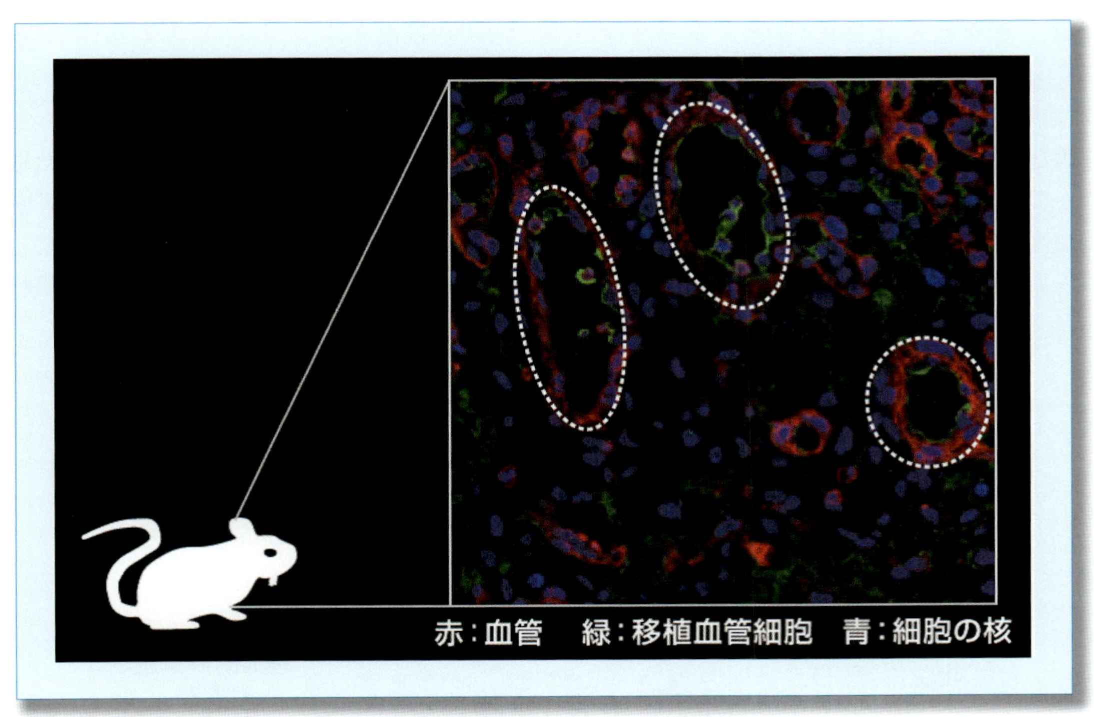

図４　細胞積層体のラットへの移植

なお，本技術開発の一部は，国立研究開発法人日本医療研究開発機構（ＡＭＥＤ）からの助成を受けて実施されたものである。

参考文献

1）高木大輔，瀬尾学，宮岡敦史，安部美樹子，鴨野俊平，“iPS 細胞由来細胞を用いた３次元組織体構築－自動コーティング技術と評価技術”，リコーテクニカルレポート No.41，pp.118　～ 127（2016），（https://jp.ricoh.com/technology/techreport/41/pdf/RTR41a14.pdf）
2）乾　賢一監修，バイオ医薬品と再生医療，臨床薬学テキストシリーズ，㈱中山書店，2016.
3）新井　健生編，３次元細胞システム設計論，組織工学ライブラリ，㈱コロナ社，2016.
4）大和　雅之編，細胞社会学，組織工学ライブラリ，㈱コロナ社，2016.
5）M. Matsusaki, K. Kadowaki, Y. Nakahara, M. Akashi, Fabrivation of Cellular Multilayers with Nanometer-Sized Extracellulai Matrix Films, Angew. *Chem. Int. Ed.*, Vol.46, No.25, pp.4689-4692（2007）.

1 ヘルスケア・ニューフロンティアの実現に向けて
～その先に描く人生百歳時代の設計図～

神奈川県知事　黒岩　祐治

ヘルスケア・ニューフロンティア

神奈川県は，全国で一，二を争うスピードで高齢化が進展している。1970年の年齢別人口ピラミッドが2050年には逆転すると予測されており，このままでは医療や介護など，現在の社会システムが通用しないことは明らかである。

そこで，超高齢社会という課題を乗り越えるため，本県では，全県が指定されている国家戦略特区など3つの特区を活用しながら，「最先端医療・最新技術の追求」と「未病の改善」という2つのアプローチを融合することにより，健康寿命の延伸と，新たな市場・産業の創出を目指す「ヘルスケア・ニューフロンティア」政策に取り組んでいる。

■最先端医療・最新技術の追求に向けた取り組み

2つのアプローチのうち，「最先端医療・最新技術の追求」では，羽田空港の対岸に位置し，ライフサイエンス産業が集積する川崎市の殿町区域に，再生・細胞医療の産業化拠点「ライフイノベーションセン

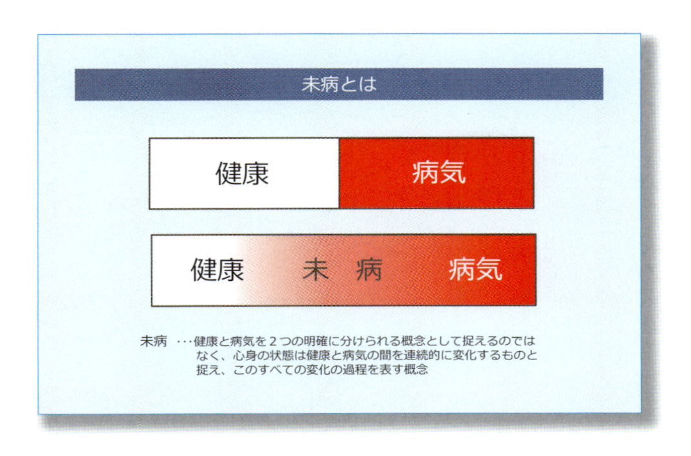

ター」を整備し，有望なシーズを有する多くの企業が革新的な再生医療等製品の実用化に向けて取り組んでいる。

また，食の機能を科学的に証明するプロジェクトや，最新技術を活用した医療ロボットの社会実装に向けたプロジェクトも進展している。

■未病の改善に向けた取り組み

もう一つのアプローチは「未病の改善」である。県では「未病」を「健康と病気を２つの明確に分ける概念ではなく，心身の状態は健康と病気の間を連続的に変化するもの」と捉え，「ME-BYO サミット」等による未病コンセプトの国内外への発信，400 以上の企業等が参加する未病産業研究会などを中心に，未病状態の改善・維持につながる製品やサービスの普及促進等に取り組んでいる。

私自らが率先した未病の取組みは，昨年，世界的権威の学術雑誌「ネイチャー」に掲載され，さらには，WHO のマーガレット・チャン事務局長にも共感をいただくなど，国内外からも高い関心と強い期待を集めており，目指す方向に間違いはないと強く確信しているところである。

■海外との連携

こうしたヘルスケア・ニューフロンティアの取組みは世界との連携も重要であり，これまで，北米・欧州・アジアのライフサイエンス先進地域や機関との間で，12 件の連携・協力の覚書を締結してきた。また，WHO との連携も進めており，昨年 12 月から県職員をスイスの WHO 本部に派遣している。

■メディカル・イノベーションスクール（MIS）

さらに，社会システムや技術の革新を起こし，国際的に発信できる人材を養成するメディカル・イノベーションスクール（MIS）を，平成 31 年に，県立保健福祉大学の大学院として設置する予定である。

人生百歳時代の設計図

未病を改善すると元気な高齢者が多くなるが，そうなると人生は百歳時代が当たり前になる。

2016 年は 100 歳以上が全国で約 6 万 6 千人。2050 年には約 70 万人になり，142 人に 1 人が 100 歳以上になる。

こういう時代に即した人生の設計図はできているか。60 歳で定年になっても，あと 40 年ある。

未病の改善は，ただ単に健康の改善ではなく，社会システムの変革につながる。

今後も，ヘルスケア・ニューフロンティア政策を強力に推進することで，社会全体の変革につなげるとともに，未病が改善され，みんな笑顔になる「スマイルエイジング社会」を創っていきたい。

2 神戸医療産業都市の取り組み

神戸市長　久元　喜造

神戸医療産業都市の経緯

神戸市では，神戸の中心地･三宮沖に浮かぶ人工島･ポートアイランドにおいて先端医療技術の研究開発拠点を整備し，産学官連携により，21世紀の成長産業である医療関連産業の集積を図る「神戸医療産業都市」を推進している。

1995年1月17日に発生した阪神・淡路大震災により，神戸市は，1年間の市内総生産に相当する6.9兆円もの経済損失を被った。この壊滅的な被害を受けた神戸経済を立て直すための復興プロジェクトとして，1998年にスタートしたのが神戸医療産業都市である。

プロジェクトの目的は，①神戸経済の活性化，②先端医療等の提供による市民福祉の向上，③アジア諸国の医療水準の向上による国際社会への貢献の3つであり，主な研究分野として，①医療機器の開発，②医薬品の開発，そして③再生医療である。

神戸医療産業都市の現状

神戸医療産業都市は，構想開始から18年を経過し，330を超える医療関連企業，研究機関，大学，高度専門病院などが集積する日本最大級のバイオメディカルクラスターに成長している。加えて，スーパーコンピュータ「京」の立地およびその後継機の開発が進められており，他のクラスターにはない大きな特徴になっている。

なお，このプロジェクトにより創出した雇用者数は8,100人（2016年12月末時点）であり，神戸市内経済効果は1,615億円（2015年度推計），神戸市税収効果は56億円（2015年度推計）となっている。

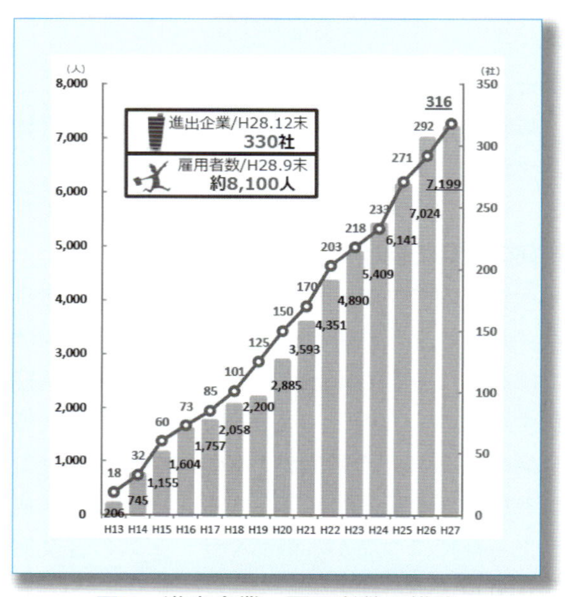

図1　進出企業・雇用者数の推移

神戸医療産業都市における再生医療の取り組み

神戸医療産業都市における再生医療の取り組みとして，まず，理化学研究所「多細胞システム形成研究センター（CDB）」の高橋政代プロジェクトリーダーらが進めるiPS細胞を用いた網膜再生の臨床研究があげられる。この臨床研究は，CDBの基礎研究の成果を，神戸の医療機関において臨床応用するという，まさに神戸医療産業都市が構想当初から目指してきた形である。

さらに，iPS細胞を用いた再生医療以外にも，下肢血管再生，膝軟骨再生，角膜再生，鼓膜再生など，さまざまな再生医療の研究が進んでおり，実用化に近い段階まできている。

また，再生医療に取り組む企業の集積も着実に進んでおり，「再生医療勉強会」での連携・交流も盛ん行われている。

これは，「再生医療」という言葉がまだ一般的でなかったプロジェクト開始当時から，主な研究分野として「再生医療」を掲げて取り組んできた神戸医療産業都市の大きな強みであると考えている。

今後の展開

神戸医療産業都市の今後の展開として２点ご紹介したい。

一つは，対象分野のヘルスケア分野への拡大である。現在，再生医療の分野でも，毛髪再生などの研究開発が進められているほか，ヘルスケア分野の製品のエビデンスの確立に再生医療の技術は活用することが非常に有効であると考えている。また，2015 年 12 月に文部科学省の「世界に誇る地域発研究開発・実証拠点（リサーチコンプレックス）推進プログラム」に，理化学研究所を中核機関とする「健康“生き活き”羅針盤リサーチコンプレックス」が採択されており，健康科学の研究開発・事業化の加速，人材育成などに取り組んでいる。

もう一つは，新たな推進体制の構築である。神戸医療産業都市がさらなる発展を図り，世界に誇る医療産業クラスターとして持続的に成長していくためには，集積する企業，研究機関，大学，病院の相互の連携・融合を促進させることが必要であると考えている。そこで，クラスター全体をマネジメントする総合調整機能をもった新組織を 2018 年 4 月に立ち上げることとしている。

おわりに

神戸医療産業都市のここまでの成長は，他都市に先駆けて医療産業分野に着目し，弛まぬチャレンジを続けてきた結果であると考えている。今後，この神戸の地から多くの優れた成果を生み出し，アジアのみならず世界の医療関連産業の拠点となるよう，未来に向かってチャレンジを続けていきたいと考えている。

再生医療の研究開発・製造環境の革新を目指す「セラボ殿町」のご紹介

ダイダン株式会社　再生医療事業部　古川　悠

はじめに

近年，再生医療は治療が困難であった疾患などに対する新たな治療方法として注目されている．しかし，現段階では研究段階のものが多く，実用化や製品化された事例は少ないのが実情である．今後，この再生医療分野をさらに発展させていくためには研究者，行政，企業が連携して治療方法だけではなく，ニーズにマッチした分析機器や試薬，製造環境，サービスなどを展開・発展させていくことが必要である．

当社は建築設備業を生業とする一方，業態の枠組みを超えてこの再生医療分野への積極的な貢献を目指している．2017年4月に再生医療関連の技術，サービスの構築，および情報発信・収集を目的として神奈川県川崎市と兵庫県神戸市に新たに拠点を設けた．本稿では，当社の取り組みと次世代のCPF（cell processing facility：細胞培養加工施設）を併設したオープンイノベーションの拠点となる施設「セラボ殿町」（川崎市）の概要について紹介する．

再生医療分野への取り組み

前述の通り，当社は建築設備の設計・施工を行っており，大型商業施設やデバイス工場，オフィスビルなど多種多様な施設に対する実績がある．特に病院や製薬施設などのクリーンルームにおいては数多くの実績があり，室内環境の高清浄度化のための室圧制御技術，気流制御技術を保有している．それらの実績から得られた知見を活かし，再生医療の製品製造や研究に

図1　3拠点を軸とした連携のイメージ

重要な施設であるCPFの設計・施工に注力する一方で，将来的には機器の開発や周辺サービスへの展開も視野に入れている．また，再生医療関連の情報発信を目的として，展示会や学会での発表やセミナー開催を継続的に行っている．

本年度から図1に示すように，技術開発を行う「技術研究所」，ニーズ収集を行う「神戸オフィス」，オープンイノベーション実践の場である「セラボ殿町」の3拠点を軸として，全国の事業所と連携し，再生医療分野へのより一層の貢献を目指す．

セラボ殿町の概要

セラボ殿町（以下，本施設）の概要を表1に示す．本施設は，当社が再生医療分野への情報発信，技術開発・検証を行う上で最も重要な施設であり，ライフイノベーションセンター（LIC）の4階に所在する．LICは多摩川を挟んで東京国際（羽田）空港の対岸の殿町地区に位置しており，神奈川県が再生医療産業化拠点のための中心施設として構想している．

本施設の鳥瞰イメージを図2に示す．施設内は主に「細胞培養加工エリア（CPF）」，「オープンイノベーションエリア」「展示エリア」の3つのエリアに分かれている．以下にそれぞれのエリアの概略を記載する．

CPF

CPFは利用者の利便性を考慮し，安全キャビネットごとに小部屋を設けないレイアウトの大部屋タイプを採用した．ただし，安全キャビネットなどの手技を行う場所についてはコンタミネーションリスク低減を目的として，当社の開発製品である半開放型気流制御システム「エアバリアブース（後述）」を導入した．

表1 セラボ殿町の概要

施設名称	セラボ殿町 (CELL PRCESSING FACILITY& OPEN LAB)
所在地	神奈川県川崎市川崎区殿町 3 丁目 25 番 22 ライフイノベーションセンター R407
主な用途	CPF エリア，ディスカッションエリア，展示エリア，事務エリア 他
規模	床面積：約 384 ㎡ CPF エリア：135 ㎡ オープンイノベーション / 展示エリア：171 ㎡ 事務エリア：36 ㎡ 倉庫等：42 ㎡
設計・施工	ダイダン株式会社

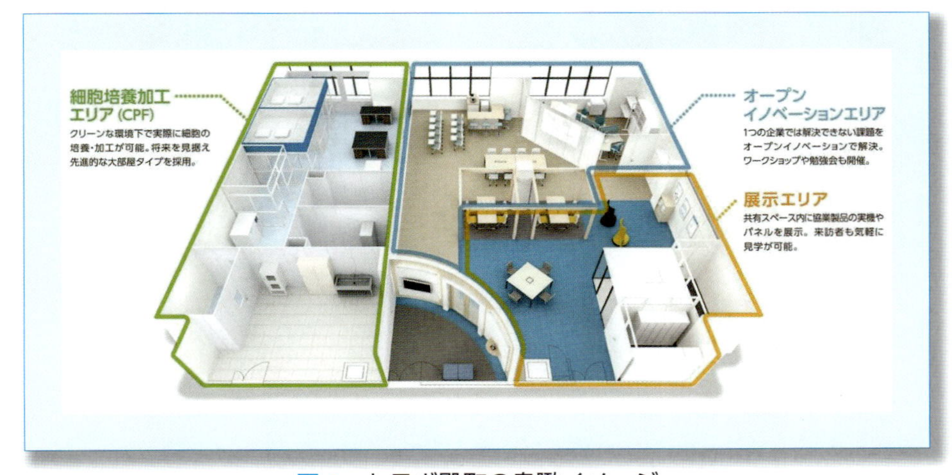

図2 セラボ殿町の鳥瞰イメージ

このシステムにより手技を行う場所だけを局所的に高清浄度化できるため，クリーンルームをシンプルな構造，設備とすることが可能である．その結果，施設のイニシャル／ランニングコスト低減や使い勝手の向上が見込まれる．利用者はCPFで実際に培養作業を行うことが可能であり，使い勝手を体感できる．さらには，培養の技術者育成のトレーニングの場としても利用可能である．

■オープンイノベーションエリア

オープンイノベーションエリアは，1つの企業では解決できない課題に対して複数の企業がアイデアを出し合って解決するための情報共有の場として位置付けている．ユーザーの抱えるニーズに対して，迅かつ的確に応えていくためにはオープンイノベーションによる技術開発が有効である．大型ディスプレイやCPF内部を見通せる窓を備えており，ディスカッションや講習会，ワークショップなどへの利用を想定している．

■展示エリア

展示エリアは当社の技術だけではなく，オープンイノベーションによって生まれた技術も展示している．説明パネルのほかに実機も展示しており，来訪者であれば誰でも自由に見学することが可能である．

CPF向けの技術の紹介

本施設のCPFに導入した開発技術について以下に紹介する．

■エアバリアブース

エアバリアブースは局所空間を高清浄度化できる気流制御ブースである．外観を図3に示す．最大の特徴は，開口部に扉がなく，使用者は物を持ったまま容易に出入りすることができる．ドアノブがないため接触によるコンタミネーションリスクがない．開口部には一方向気流が形成されており，周囲環境からのホコリの侵入を抑制し，扉なしでもブース内をクリーン化することができる．性能検証の実験結果では，ISOクラス8（グレードC相当）の環境下にエアバリアブースを設置した場合，ブース内はISOクラス7（グレードB相当）になることを確認している．細胞培養に限らず，次世代シーケンサや自動培養装置などクリーン環境が必要な機器を設置する場所としても利用できる．

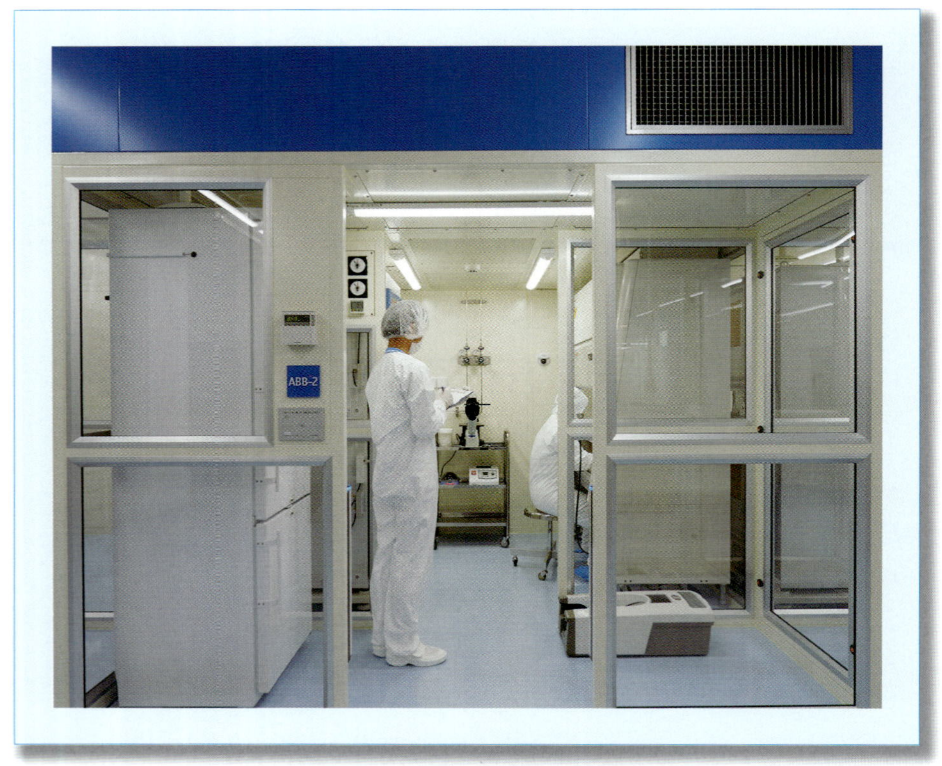

図3　エアバリアブース外観

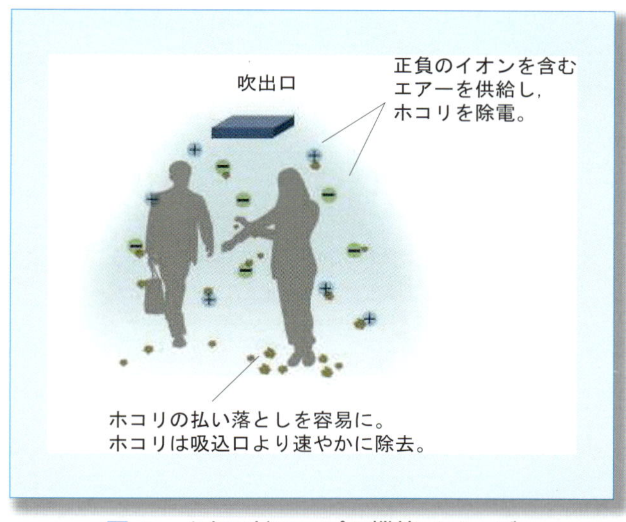

図 4　イオンドロップの機能イメージ

図 5　バリアスマート CM の概要

■イオンドロップ

イオンドロップの機能イメージを図 4 に示す．イオンドロップは空気中の分子を電界によってイオン化させて気流とともに供給するシステムである．更衣や歩行によって発生する静電気を帯びた状態では，ホコリをクリーンルームへ持ち込むリスクが高くなる．イオンを含む気流を浴びることで静電気が除電され，ホコリを容易に払い落すことができる．

■室圧制御システム：バリアスマートシリーズ

室圧制御とは，隣室との圧力差を設けることで隙間からのホコリの侵入を防いだり，逆に封じ込めたりするための技術である．しかし，室内の圧力（室圧）は台風などの強風や室内での扉開閉などの外乱が発生すると大きく乱れる場合がある．このような外乱への対策としてバリアスマートシリーズという 4 つの室圧制御システムを開発している．本施設ではバリアスマート CM（図 5 参照）を導入している．バリアスマート CM は，室圧制御を行う際に基準となる圧力（基準圧）の変動を緩和する装置である．外乱によって変動する基準圧で室圧制御のロバスト性を高めることができる．

まとめ

本稿では，当社の再生医療分野への取り組みと LIC 内に開設した「セラボ殿町」について概要を説明した．興味のある研究者，企業の方々はお問い合わせの上，是非ご見学いただきたい．今後は本施設での技術開発，サービス構築を進めて，再生医療分野の発展に，より一層貢献したいと考えている．オープンイノベーションを含め，これらの取り組みが業界発展の一助になれば幸いである．

先進医療の概要

先進医療

先進医療については，平成16年12月の厚生労働大臣と内閣府特命担当大臣（規制改革，産業再生機構），行政改革担当，構造改革特区・地域再生担当との「基本的合意」に基づき，国民の安全性を確保し，患者負担の増大を防止するといった観点も踏まえつつ，国民の選択肢を拡げ，利便性を向上するという観点から，保険診療との併用を認めることとしたものである。また，先進医療は，健康保険法等の一部を改正する法律（平成18年法律第83号）において，「厚生労働大臣が定める高度の医療技術を用いた療養その他の療養であって，保険給付の対象とすべきものであるか否かについて，適正な医療の効率的な提供を図る観点から評価を行うことが必要な療養」として，厚生労働大臣が定める「評価療養」の１つとされている。具体的には，有効性及び安全性を確保する観点から，医療技術ごとに一定の施設基準を設定し，施設基準に該当する保険医療機関は届出により保険診療との併用ができることとしたものである。

なお，将来的な保険導入のための評価を行うものとして，未だ保険診療の対象に至らない先進的な医療技術等と保険診療との併用を認めたものであり，実施している保険医療機関から定期的に報告を求めることとしている。

「先進医療に係る費用」については全額自己負担

先進医療を受けた時の費用は，次のように取り扱われ，患者は一般の保険診療の場合と比べて，「先進医療に係る費用」を多く負担することになる。

1. 「先進医療に係る費用」は，患者が全額自己負担することになります。「先進医療に係る費用」は，医療の種類や病院によって異なる。
2. 「先進医療に係る費用」以外の，通常の治療と共通する部分（診察・検査・投薬・入院料等）の費用は，一般の保険診療と同様に扱われる。

　つまり，一般保険診療と共通する部分は保険給付されるため，各健康保険制度における一部負担金を支払うこととなる。

先進医療を受けるときは

先進医療を受ける場合であっても，病院にかかる時の手続きは一般の保険診療の場合と同じで，被保険者証（老人医療対象者は健康手帳も）を窓口に提出します。

先進医療は，一般的な保険診療を受けるなかで，患者が希望し，医師がその必要性と合理性を認めた場合に行われることになります。

説明を受けて納得の上で同意書署名

先進医療を受ける時は，治療内容や必要な費用などについて，医療機関より説明を受けます。説明内容について十分に納得したうえで，同意書に署名し，治療を受けることとなる。

領収書はたいせつに保管

先進医療を受けると，先進医療に係る費用，通常の治療と共通する部分についての一部負担金，食事についての標準負担額などを支払いますが，それぞれの金額を記載した領収書が発行されます。　この領収書は，税金の医療費控除を受ける場合に必要となりますので，大切に保管してください。

厚生労働大臣の定める「評価療養」及び「選定療養」とは

健康保険法の一部を改正する法律（平成 18 年法律第 83 号）において，平成 18 年 10 月 1 日より，従前の特定療養費制度が見直しされ，保険給付の対象とすべきものであるか否かについて適正な医療の効率的な提供を図る観点から評価を行うことが必要な「評価療養」と，特別の病室の提供など被保険者の選定に係る「選定療養」とに再編成された。

この「評価療養」及び「選定療養」を受けたときには，療養全体にかかる費用のうち基礎的部分については保険給付をし，特別料金部分については全額自己負担とすることによって患者の選択の幅を広げようとするものである。

「評価療養」及び「選定療養」の種類は，次の通り。

また，各事項の取扱いに当たってはそれぞれにルールが定められている。

評価療養

- 先進医療
- 医薬品，医療機器，再生医療等製品の治験に係る診療
- 医薬品医療機器法承認後で保険収載前の医薬品，医療機器，再生医療等製品の使用
- 薬価基準収載医薬品の適応外使用（用法・用量・効能・効果の一部変更の承認申請がなされたもの）
- 保険適用医療機器，再生医療等製品の適応外使用（使用目的・効能・効果等の一部変更の承認申請がなされたもの）

選定療養

- 特別の療養環境（差額ベッド）
- 歯科の金合金等
- 金属床総義歯
- 予約診療
- 時間外診療
- 大病院の初診
- 小児う蝕の指導管理
- 大病院の再診
- 180 日以上の入院
- 制限回数を超える医療行為

また，「評価療養」及び「選定療養」については，次のような取扱いが定められている。

1. 医療機関における掲示

この制度を取扱う医療機関は，院内の患者の見やすい場所に，評価療養又は選定療養の内容と費用等について掲示をし，患者が選択しやすいようにすることとなっている。

2. 患者の同意

医療機関は，事前に治療内容や負担金額等を患者に説明をし，同意を得ることになっている。患者側でも，評価療養又は選定療養についての説明をよく聞くなどして，内容について納得したうえで同意することが必要である。

3. 領収書の発行

評価療養又は選定療養を受けた際の各費用については，領収書を発行することとなっている。

2 先進医療の各技術の概要

第2項先進医療【先進医療A】（35種類）

平成29年4月3日現在

番号	先進医療技術名	適応症	技術の概要
1	高周波切除器を用いた子宮腺筋症核出術	子宮腺筋症	子宮腺筋症は，これまで子宮全摘術によって治療されてきた。腺筋症組織は，子宮筋層の中に複雑に入り込んでいることから，従来，腺筋症組織のみを正常の子宮筋層と分離して切除することは困難であったが，本技術は開腹後，新たに開発されたリング型の高周波切除器を用いることにより腺筋症組織のみを切除（核出）するものである。
2	三次元形状解析による体表の形態的診断	頭蓋，顔面又は頸部の変形性疾患	レーザー光を利用した三次元曲面形状計測を行い，顔面などの変形性疾患に対し，より精密な治療計画を立てる。
3	陽子線治療	頭頚部腫瘍（脳腫瘍を含む。）肺・縦隔腫瘍，骨軟部腫瘍，消化管腫瘍，肝胆膵腫瘍，泌尿器腫瘍，乳腺・婦人科腫瘍又は転移性腫瘍（いずれも根治的な治療法が可能なものに限る。）	放射線の一種である粒子線（陽子線）を病巣に照射することにより悪性腫瘍を治療する。
4	骨髄細胞移植による血管新生療法	閉塞性動脈硬化症又はバージャー病（いずれも従来の治療法に抵抗性を有するものであって，フォンタン分類III度又はIV度のものに限る。）	虚血に陥った患肢に，自己の骨髄細胞を移植することで血管新生を促す新しい治療法。
5	神経変性疾患の遺伝子診断	脊髄小脳変性症，家族性筋萎縮性側索硬化症，家族性低カリウム血症性周期性四肢麻痺又はマックリード症候群	PCR法，DNAシークエンサー装置等を用いて責任遺伝子の異常を探索し正確な診断を行う。
6	重粒子線治療	頭頚部腫瘍，肺・縦隔腫瘍，消化管腫瘍，肝胆膵腫瘍，泌尿器腫瘍，乳腺・婦人科腫瘍又は転移性腫瘍（いずれも根治的な治療法が可能なものに限る。）	重粒子線（炭素イオン線）を体外から病巣に対して照射する治療法。
7	削除	—	—
8	抗悪性腫瘍剤治療における薬剤耐性遺伝子検査	悪性脳腫瘍	手術中に得られた組織からPCR法にて抗がん剤耐性遺伝子を測定し，腫瘍に対する抗がん剤の感受性を知ることができる。これに基づいて抗がん剤を使用することにより，より高い効果を得，不必要な副作用を避けることができる。
9	家族性アルツハイマー病の遺伝子診断	家族性アルツハイマー病	家族性アルツハイマー病の原因遺伝子の変異に対する診断を行う。正確な診断により，個々の患者ごとに，遺伝的背景の差異に基づく病気の特徴を踏まえた予後の推定を可能にし，将来に向けた療養方針やリハビリ計画を患者やその家族に示すことができる。
10	腹腔鏡下膀胱尿管逆流防止術	膀胱尿管逆流症（国際分類グレードVの高度逆流症を除く。）	腹腔鏡下に膀胱外アプローチにより尿管を膀胱筋層内に埋め込み，逆流防止を行う。

番号	先進医療技術名	適応症	技術の概要
11	泌尿生殖器腫瘍後腹膜リンパ節転移に対する腹腔鏡下リンパ節郭清術	泌尿生殖器腫瘍（リンパ節転移の場合及び画像によりリンパ節転移が疑われる場合に限る。）	精巣腫瘍，膀胱腫瘍等の摘出後，追加の化学療法・放射線療法の必要性を判断するために，腹腔鏡を用いて後腹膜リンパ節を切除しリンパ節転移の有無を確認する。切除したリンパ節に腫瘍の転移がなければ，追加の化学療法・放射線療法を行わず，その副作用を避けることができる。
12	削除	—	—
13	削除	—	—
14	定量的 CT を用いた有限要素法による骨強度予測評価	骨粗鬆症，骨変形若しくは骨腫瘍又は骨腫瘍掻爬術後のもの	骨塩定量ファントムとともに対象骨の CT を撮影し，データをワークステーションに入力，有限要素解析のプログラムによって処理する。これにより，患者固有の三次元骨モデルが作成され，これをもとに 3 次元有限要素解析モデルを作成。この解析モデルに対して，現実の加重条件を模擬した加重・拘束条件を与えて応力・歪みを解析し，破壊強度を計算・算出する。
15	歯周外科治療におけるバイオ・リジェネレーション法	歯周炎による重度垂直性骨欠損	本法は，セメント質の形成に関与する蛋白質を主成分とする歯周組織再生誘導材料を用い，フラップ手術と同様な手技を用いた上で，直接，歯槽骨欠損部に填入するだけであり，短時間で低侵襲な手術が期待できる。
16	樹状細胞及び腫瘍抗原ペプチドを用いたがんワクチン療法	腫瘍抗原を発現する消化管悪性腫瘍（食道がん，胃がん又は大腸がんに限る。），原発性若しくは転移性肝がん，膵臓がん，胆道がん，進行再発乳がん又は肺がん	がんワクチンによって，がん細胞に対する特異的な免疫を担当する T リンパ球を活性化し，患者自身の免疫系によりがんを攻撃する。活性化 T リンパ球移入療法とは異なり，がん細胞に特異的な T リンパ球のみを活性化する点が特徴。
17	自己腫瘍・組織及び樹状細胞を用いた活性化自己リンパ球移入療法	がん性の胸水若しくは腹水又は進行がん	末梢血から採取した自己リンパ球と，自己の腫瘍と混合培養するなどして接触させた樹状細胞，もしくは，既に体内で腫瘍と接触のあったと考えられる腫瘍浸潤リンパ節由来樹状細胞とを，体外でインターロイキン 2 などの存在下で培養し，腫瘍に特異的と期待されるキラー細胞を誘導し，増殖させ，再び体内に戻す療法。
18	EB ウイルス感染症迅速診断（リアルタイム PCR 法）	EB ウイルス感染症（免疫不全のため他の方法による鑑別診断が困難なものに限る。）	臓器移植手術においては，術後に免疫抑制剤を長期間投与する必要があるため，それに伴うウイルス感染症が発症しやすく，早期に対応するためには迅速診断が重要な検査となっている。特にトランスアミナーゼ等の逸脱酵素の上昇が見られる患者においては，移植後の拒絶反応によるものか，ウイルス感染によるものかを一刻も早く診断し，治療対策を開始する必要がある。また，伝染性単核球症や慢性活動性 EB ウイルス感染症，EB ウイルス関連血球貪食症候群などの EB ウイルスの感染によって引き起こされる疾患を早期に診断し適切な処置を行うには，感度が高く迅速な検査法が必要である。本技術は Real Time PCR 法を用い，EB ウイルスの DNA 量を数時間以内に定量的に評価し，EB ウイルス感染症を迅速に診断するものである。
19	多焦点眼内レンズを用いた水晶体再建術	白内障	多焦点眼内レンズは，無水晶体眼の視力補正のために水晶体の代用として眼球後房に挿入される後房レンズである点では，従来の単焦点眼内レンズと変わりはない。 しかし，単焦点眼内レンズの焦点は遠方又は近方のひとつであるのに対し，多焦点眼内レンズはその多焦点機構により遠方及び近方の視力回復が可能となり，これに伴い眼鏡依存度が軽減される。 術式は，従来の眼内レンズと同様に，現在主流である小切開創から行う超音波水晶体乳化吸引術で行う。
20	フェニルケトン尿症の遺伝子診断	フェニルケトン尿症，高フェニルアラニン血症又はビオプテリン反応性フェニルアラニン水酸化酵素欠損症	分析に供与する DNA は，患者末梢血 2 ～ 5ml を通常の採血と同様に採取するというきわめて非侵襲的な方法によって得られる。末梢全血を通常のフェノール法にて除蛋白した後，ゲノム DNA を抽出する。13 ある各エクソンを PCR 法にて増幅合成した後，DHPLC 法にて遺伝子多型を持つエクソンを同定する。当該エクソンのシークエンスを行い，遺伝子変異を同定する。遺伝子欠失変異の同定には MLPA 法を用いて行う。

番号	先進医療技術名	適応症	技術の概要
21	培養細胞によるライソゾーム病の診断	ライソゾーム病（ムコ多糖症Ⅰ型及びⅡ型，ゴーシェ病，ファブリ病並びにポンペ病を除く。）	先天性代謝異常の罹患リスクが高い胎児，新生児及び先天性代謝異常が疑われる症状を有する小児から，胎児の場合は，羊水を採取し，羊水細胞を培養後，細胞中の酵素活性を測定する。新生児や小児においては，末梢血を採取してリンパ球を培養，あるいは，皮膚生検を行い線維芽細胞を培養して，培養細胞中の酵素活性を測定する。酵素活性の測定後，酵素補充療法の適応とならないものについては，造血幹細胞移植等の種々の治療法や，治療法がない場合においては，早期の対症療法や生活指導を行うことにより，患者のQOLの向上を可能とする。
22	培養細胞による脂肪酸代謝異常症又は有機酸代謝異常症の診断	脂肪酸代謝異常症又は有機酸代謝異常症	酵素活性の測定には，静脈血液５～１０mlまたは米粒大の皮膚片から，培養リンパ球や培養皮膚線維芽細胞を樹立する。これらの技術によって得た培養細胞を用いて，酵素活性を測定して先天性代謝異常症の確定診断を行う。
23	角膜ジストロフィーの遺伝子解析	角膜ジストロフィー	本技術によって原因遺伝子を明らかにすることにより，病型に加え，発症年齢，重症度や予後も推定可能となり，治療により進行を遅らせることが可能な例を特定することや，角膜移植後の再発リスクを明らかにすることができる。さらに，患者が自分の病気を遺伝病として理解した上で，自身や家族の結婚や出産に関連して生じる諸問題について計画的に対処することが可能となる。
24	前眼部三次元画像解析	緑内障，角膜ジストロフィー，角膜白斑，角膜変性，角膜不正乱視，水疱性角膜症，円錐角膜若しくは水晶体疾患又は角膜移植術後である者に係るもの	現在，眼科疾患を診断するためには，検眼鏡あるいは前眼部および眼底写真による検査が必須であるが，従来の検査法では，眼球表面上に現れている変化を観察することができるのみであり，その診断精度には限界がある。また，所見の判断は観察者の主観に左右される面もあり，その所見を広く第３者にも客観的情報として共有する手段が少ない。前眼部３次元画像解析は，これまでの眼科的検査では行えなかつた，角膜，隅角，虹彩などの断層面の観察や立体構造の数値的解析が行える唯一の方法である。また，前眼部の光学的特性を不正乱視を含んで数値的解析ができる唯一の方法である。本解析法には，干渉光とScheimpflug像を用いて角膜等を断層的に観察する方法がある。いずれの方法も，装置にコンピューターが内蔵されており，取得データのファイリング，画像劣化のない半永久的保存，取得データの数値的解析などが行え，従来の眼科的検査では得られない情報の入手と情報管理が行える。又，解析結果は電子カルテシステムに組み入れることも可能である。
25	急性リンパ性白血病細胞の免疫遺伝子再構成を利用した定量的PCR法による骨髄微小残存病変（MRD）量の測定	急性リンパ性白血病（ALL）又は非ホジキンリンパ腫（NHL）であって初発時に骨髄浸潤を認めるリンパ芽球性リンパ腫若しくはバーキットリンパ腫	初発時に白血病細胞の免疫グロブリンまたはT細胞受容体遺伝子の再構成をPCRで検出し，症例特異的プライマーを作成する。次にALLの化学療法開始５週（ポイント１，TP1）および１２週（ポイント２，TP2）の骨髄MRD量を，初発時に作成したプライマーを用いてRQ-PCRにて定量的に測定し，MRD量が少ない（10-4未満＝腫瘍細胞が１万個に１個未満）低リスク群，MRDが多い高リスク群（10-3以上＝腫瘍細胞が千個に１個以上），それ以外の中間リスク群の３群に分類する。具体的には，施設で採取したTP1とTP2の骨髄のMRD量を治療開始後12-14週の間に測定し，結果をALL治療プロトコールで定められたリスク別層別化治療を実施する。
26	最小侵襲椎体椎間板掻爬洗浄術	脊椎感染症	医療の進歩に伴い全身の免疫能低下があっても長期生存が可能な症例が増加している。それに伴い難治性脊椎感染症が増加している。本疾患に対する治療は保存療法と侵襲の大きな外科治療しかなかった。しかし全身状態の悪い症例への外科治療は術後の合併症を併発する問題があった。本治療は1cm程度の小さな傷から，内視鏡やX線透視を用いて安全に椎体椎間板の掻爬と洗浄を行う。局所麻酔と静脈麻酔下で行え，手術操作にかかる時間が45分間程度と短く，最小侵襲であるため，余病の多い症例にも施行できる利点がある。従来できなかった患者への疼痛の緩和と治療に難渋した脊椎感染に対し大きな効果が望める。
27	削除	—	—
28	削除	—	—

番号	先進医療技術名	適応症	技術の概要
29	MEN 1 遺伝子診断	多発性内分泌腫瘍症 1 型（MEN 1）が疑われるもの（原発性副甲状腺機能亢進症（pHPT）（多腺症でないものにあっては，四十歳以下の患者に係るものに限る。）又は多発性内分泌腫瘍症 1 型（MEN 1）に係る内分泌腫瘍症（当該患者の家族に多発性内分泌腫瘍症 1 型（MEN 1）に係る内分泌腫瘍を発症したものがある場合又は多発性内分泌腫瘍症 1 型（MEN 1）に係る内分泌腫瘍を複数発症している場合に限る。））	1）発端者診断 MEN1 の疑われる患者（発端者）が対象となる。遺伝カウンセリングを施行し患者の同意を得た上で採血を行い，末梢血白血球より DNA を抽出する。次に，MEN1 遺伝子のエクソン 2 ～ 10 のすべてを PCR 法を用いて一度に増幅し，塩基配列を DNA シーケンサーにより解析する。変異が認められた場合，MEN1 であることが確定する。 2）保因者診断 MEN1 遺伝子変異が判明している家系の血縁者が対象となる。上記 1）と同様の手順で遺伝子診断を行うが，既知の変異部位のみのシーケンスを行う。変異を認めた場合は，MEN1 に関する各種検査を行い，治療適応のあるものに関しては早期治療が可能になる。一方，MEN1 遺伝子の変異が認められない血縁者に対しては，遺伝していないことが判明し，以後の臨床検査は不要となり，医療費の節約が可能となる。
30	金属代替材料としてグラスファイバーで補強された高強度のコンポジットレジンを用いた三ユニットブリッジ治療	臼歯部中間欠損（臼歯部のうち一歯が欠損し，その欠損した臼歯に隣接する臼歯を支台歯とするものに限る。）	現在のコンポジットレジンは前歯，小臼歯の 1 歯レジンクラウンおよび金属裏装レジン前装クラウン・ブリッジのみの応用であったが，臼歯部の大きな咬合力に耐えられる高強度コンポジットレジンとグラスファイバーを用いることで 1 歯欠損の 3 ユニットブリッジに適応可能となる。また，咬合による応力のかかるブリッジ連結部には従来の歯科用金属の補強構造体に代えてグラスファイバーを使用することによりブリッジ強化が図られる。
31	ウイルスに起因する難治性の眼感染疾患に対する迅速診断（ＰＣＲ法）	豚脂様角膜後面沈着物若しくは眼圧上昇の症状を有する片眼性の前眼部疾患（ヘルペス性角膜内皮炎又はヘルペス性虹彩炎が疑われるものに限る。）又は網膜に壊死病巣を有する眼底疾患（急性網膜壊死，サイトメガロウイルス網膜炎又は進行性網膜外層壊死が疑われるものに限る。）	ヘルペス性角膜内皮炎，ヘルペス性虹彩炎が疑われる片眼性の前眼部疾患。急性網膜壊死，サイトメガロウイルス網膜炎，進行性網膜外層壊死が疑われる網膜壊死病巣を有する眼底病変は，ヒトヘルペスウイルスが病因と疑われる。このような症例の前房水を前房穿刺，あるいは硝子体液を手術時に採取して，これらの眼内液から DNA を抽出し， 本診断法により HSV-1,HSV-2,VZV,EBV,CMV,HHV-6,HHV-7,HHV-8 の DNA の同定と定量を おこなう。この診断に基づいて適正な抗ウイルス治療をおこなう。当院眼科においては年間約 100 ～ 150 例の患者が本検査の対象となる。 当該技術（難治性ウイルス眼感染疾患に対する包括的迅速 PCR 診断）は，必要なプライマーとプローブを作製して研究室にて用いている。プライマーとプローブは現時点ではキット化できていないため，院内で調整する。
32	細菌又は真菌に起因する難治性の眼感染疾患に対する迅速診断（PCR 法）	前房蓄膿，前房フィブリン，硝子体混濁又は網膜病変を有する眼内炎	内眼手術直後からの眼痛，前房蓄膿，硝子体混濁を呈する外因性眼内炎，体内に感染巣があり眼痛，前房蓄膿，硝子体混濁を呈する内因性眼内炎では早急に細菌感染を疑い検査する必要がある。このような症例の前房水を前房穿刺，あるいは硝子体液を手術時に採取して，これらの眼内液から DNA を抽出し，本診断により細菌 16SrDNA の定量をおこなう。この診断に基づいて適正な抗生剤投与，硝子体手術をおこなう。当院眼科においては年間約 30 例の患者が本検査の対象となる。 経中心静脈高栄養法や各種カテーテルの留置に伴った真菌血症が全身的にあり，網膜後局部に網膜滲出斑，硝子体混濁，牽引性網膜剥離，前眼部炎症を呈する眼内炎では早急に真菌感染を疑い診断を付ける必要がある。このような症例の前房水を前房穿刺，あるいは硝子体液を手術時に採取して，これらの眼内液から DNA を抽出し，本診断により真菌 28SrDNA の定量をおこなう。この診断に基づいて適正な抗生剤投与，硝子体手術をおこなう。当院眼科においては年間約 20 例の患者が本検査の対象となる。従来の検査で眼科検体を用いた真菌の検査法の中で，現在保険でおこなわれているものは，培養があるが感度と特異度は本検査法よりも劣る。 当該技術（難治性細菌・真菌眼感染疾患に対する包括的迅速 PCR 診断）は，必要なプライマーとプローブを作製して研究室にて用いている。プライマーとプローブは現時点ではキット化できていないため，院内で調整する。

番号	先進医療技術名	適応症	技術の概要
33	内視鏡下甲状腺悪性腫瘍手術	甲状腺がん（未分化がんを除き，甲状腺皮膜浸潤及び明らかなリンパ節腫大を伴わないものに限る。）	甲状腺未分化癌以外の甲状腺皮膜浸潤を伴わず，画像上明らかなリンパ節腫大を伴わない甲状腺癌を本術式の適応症とする。それぞれの患者に対して，入院管理下で当該手術を行う。全身麻酔下で内視鏡下に甲状腺組織を切除する。切除範囲ならびに予防的リンパ節郭清の有無は明確に診療録に記載する。術後は合併症の有無を記載し，合併症併発例に対しては適切な治療を行い，術後管理上問題ないと判断された時点で退院として，その後は外来にて治療を行う。具体的評価項目には手術関連項目として反回神経同定と温存確認，上後頭神経外枝同定と温存確認，副甲状腺同定術と温存確認を記録・評価する。さらに，手術時間と出血量を記録する。病理組織診断にて手術の根治度を評価する。手術関連合併症の有無を評価する。術後出血の有無，反回神経麻痺，副甲状腺機能低下症の評価を退院日，退院後はじめての外来日，術後１ヶ月，６ヶ月，12 ヶ月に評価する，可能ならば，喉頭ファーバーを用いて声帯の動きを用いて反回神経麻痺を評価する。副甲状腺機能は血清カルシウム値とインタクト PTH 値にて評価する。入院また外来管理下において生じたすべての有害事象の有無を観察し，本手術と関連性を評価する。 術後整容性や頸部の違和感などの満足度はアンケート方式などで調査し評価する。
34	FOLFOX6 単独療法における血中 5-FU 濃度モニタリング情報を用いた 5-FU 投与量の決定	大腸がん（七十歳以上の患者に係るものであって，切除が困難な進行性のもの又は術後に再発したものであり，かつステージ IV であると診断されたものに限る。）	5-FU 点滴 46 時間持続静注を用いる化学療法（具体的には FOLFOX ±分子標的薬，）の開始から 22 時間経過以降で終了の 2 時間前迄の間のプラトーに達した血中 5-FU 濃度を当該測定法で測定する。測定した 5-FU 濃度から持続静注中の AUC を算出し，患者個々の 5-FU の薬物動態の個体差を考慮した投与量を決定する。この判断には海外の研究で検証され至適治療範囲と提唱されている持続静注中の AUC 範囲 20 ～ 25mg・h/L を規準にするが，本邦で承認された 5-FU 投与量範囲や，レジメンの変更などの実際的な選択肢も考慮して，5-FU 点滴 46 時間持続静注を用いる大腸癌の化学療法の投与量調節やレジメン変更などの判断に 5-FU 濃度という客観的定量値情報を付加する医療行為として構築している。
35	Verigene システムを用いた敗血症の早期診断	敗血症（一次感染が疑われるものであって，それによる入院から七十二時間以内の患者に係るものであり，かつ血液培養検査が陽性であるものに限る。）	【背景】敗血症は重篤で死亡率も高い病態である。この診療において，現在医療機関の細菌検査室で行われている一般的な検査方法では，血液培養提出から菌名同定・感受性試験終了まで 72-96 時間程度時間がかかってしまう。これは最適な治療の選択には 72-96 時間かかることを意味する。敗血症患者の予後改善のためには，最適な抗菌薬の速やかな投与が必要不可欠である。よって検体提出から感受性試験結果取得までの時間を如何に短縮するかが，臨床上極めて重要である。現時点では遺伝子解析装置を用いた迅速菌名同定法が可能性があるが，実現性や臨床的有効性は不明である。 【目的】本臨床試験の目的は，全自動多項目同時遺伝子検査システムである Verigene・システムを用いた検査により敗血症の起因菌及び薬剤耐性遺伝子の検出及び同定を行い，その臨床的有用性を従来法の菌名同定・薬剤感受性検査と比較検討することである。 【対象・方法】敗血症患者の血液培養陽性検体を対象に，Verigene・システムを用いた BC-GP 検査または BC-GN 検査を行い，敗血症の起因菌及び薬剤耐性遺伝子を検出・同定する。比較対照として，従来の菌名同定・薬剤感受性検査を行う。以下の項目の評価を行う。
36	腹腔鏡下広汎子宮全摘術	子宮頸がん（ステージがⅠA2 期，ⅠB1 期又はⅡA1 期の患者に係るものに限る。）	手術の概要は従来行われて来た腹式広汎子宮全摘術を腹腔鏡下に以下のステップで行う。 [1]　まず腹腔鏡下に骨盤リンパ節郭清を系統的に行う。 [2]　次いで膀胱側腔及び直腸側腔を十分に展開した後に，前中後子宮支帯を分離切断する。 [3]　腟管を切開し余剰腟壁をつけて子宮を経腟的に摘出する。 安全性及び有効性については Primary endopoint；切除標本の病理組織学的所見による根治性の評価と３年無再発生存期間

番号	先進医療技術名	適応症	技術の概要
			Secondary endopoint；無再発生存期間，3年5年全生存割合，手術時間，術中出血量，輸血率，術中合併症の有無，術後合併症の有無，術後QOLの評価等とし，これらを検証し安全性が同等で有効性が開腹術を上回ることを当院での開腹術の成績及び過去の手術治療成績の報告と比較証明する。
37	LDLアフェレシス療法	難治性高コレステロール血症に伴う重度尿蛋白症状を呈する糖尿病性腎症	本件は，重度尿蛋白（3 g/day以上，又は尿蛋白/尿クレアチニン3 g/gCr以上）を伴い血清クレアチニンが2 mg/dL未満，薬物治療下で血清LDL-コレステロールが120 mg/dL以上である糖尿病性腎症患者を対象として，LDLアフェレシス治療の有効性及び安全性を評価する多施設共同単群試験である。リポソーバーを用い，LDLアフェレシスを施行する。原則として，登録後2週間以内にLDLアフェレシスを開始し，これまでの報告（添付文献1から3及び5）に沿って，6から12回を12週間以内に施行する。なお，LDLアフェレシス開始以降のLDLコレステロールや尿蛋白等の低下推移や全身状態の変化等が多様であり，上記のとおりこれまでの報告に沿い6から12回までで総合的に施行回数を判断するため，被験者毎にその回数が異なる。標準的には，1回の施行時間を2～3時間，血漿処理量を約3,000 mL（目安：体重kgあたり血漿処理量50 mL），施行間隔を2～7日とするが，被験者の体重や状態により調節する。抗凝固薬は，ヘパリンを標準的に使用する。ブラッドアクセスは，直接穿刺又は留置カテーテルにて行う。
38	多項目迅速ウイルスPCR法によるウイルス感染症の早期診断	ウイルス感染症が疑われるもの（造血幹細胞移植（自家骨髄移植，自家末梢血管細胞移植，同種骨髄移植，同種末梢血管細胞移植又は臍帯血移植に限る。）後の患者に係るものに限る。）	1）移植後多項目迅速ウイルスPCR検査のタイミング 造血幹細胞移植を受けた患者においてa）発熱，b）咳･呼吸困難，c）黄疸･肝障害，d）出血性膀胱炎，e）意識障害，f）発疹，g）下痢･血便および腹痛の症状が出現した際に，血中ウイルス検査を実施する。 2）多項目迅速ウイルスPCR検査の方法 ･分離した血漿から自動核酸抽出装置でDNAを抽出後，あらかじめ，12種類のウイルスに対するprimer-mixを含むPCR試薬と混合し，PCR反応を行う。PCR終了後，LightCycler® を用いた解離曲線分析により各ウイルスを識別する。これにより12種類のウイルスの有無が同時に決定できる。検査時間がDNAウイルスであれば75分で検出できる。また，同じ12種類のウイルスに関してリアルタイムPCR法（定量検査）を同時に行い，多項目迅速定性ウイルスPCR法における正確度を，陽性的中率，および陰性的中率を算出することによって評価する。 3）ウイルス感染症の診断 ウイルスが検出されたら，臨床症状，身体所見，画像診断，および臨床検査（血液，尿，髄液，喀痰，および肺胞洗浄液などの検査）により，ウイルス血症かウイルス病かの診断を行う。
39	CYP2D6遺伝子多型検査	ゴーシェ病	1）xTAG CYP2D6 kit v3 RUOによるCYP2D6遺伝子多型検査のタイミング ゴーシェ病患者において，経口投与治療薬の投与が適切であると研究責任者が判断し，患者も希望した場合に，経口投与治療薬の投与前に本検査を実施する。 2）xTAG CYP2D6 kit v3 RUOによるCYP2D6遺伝子多型検査の流れ [1] 治療医から本研究への参加を希望する被験者の紹介を受けて，研究責任者は，個人情報管理補助者，及び中央検査部に被験者の来院日を連絡する。 [2] 研究責任者又は研究分担者が被験者に対して倫理委員会で承認された患者用の説明文書を用いて，本研究の説明を行い，文書同意を取得する。 [3] 個人情報管理補助者は被験者から採血し，匿名化IDラベルを採血管に添付し，中央検査部へ送る。データの管理については，10.試料・情報の保管及び廃棄の方法に基づいて管理を行う。 [4] 個人情報管理補助者は個人情報分担管理者に院内患者識別番号と匿名化IDを連絡する。 [5] 個人情報分担管理者は対応表を作成し，管理する。

番号	先進医療技術名	適応症	技術の概要
			[6] 中央検査部技師又は小児科学講座研究補助者は，検査を行い，結果を個人情報分担管理者へ報告する。 [7] 個人情報分担管理者は，匿名化 ID と結果を統合する。 [8] 研究責任者又は研究分担者からの匿名化解除の依頼を受けて，個人情報分担管理者は研究責任者又は研究分担者へ，結果を開示する。 [9] 研究責任者又は研究分担者は，治療医，被験者に結果を連絡する。 3）xTAG CYP2D6 kit v3 RUO による CYP2D6 遺伝子多型検査の方法 CYP2D6 遺伝子多型検査キット，xTAG CYP2D6 kit v3 RUO を使用する。詳細は取扱説明書に準ずる。 [1] 抗凝固剤 EDTA またはクエン酸塩存在下で採血した全血から，ゲノム DNA を抽出，精製する（本キットで使用する DNA サンプル量の範囲：24 ng - 1800 ng)。 [2] マルチプレックス PCR を行う。精製した DNA を用い，PCR A と，PCR B の 2 種類の PCR を行う。 [3]2 種の PCR 産物，PCR （A）と PCR （B）を混合する。 [4]dNTP とプライマー不活化のため，混合した PCR 産物を，アルカリフォスファターゼ（SAP；Shrimp Alkaline Phosphatase）/ エクソヌクレアーゼ処理（SAP-EXO 処理）する。 [5]SAP-EXO 処理した PCR 産物を用いて，マルチプレックスプライマーエクステンション（ASPE; Allele Specific Primer Extension）を行う。 [6]ASPE 反応液とビーズミックスをハイブリダイゼーションする。 [7] ビーズハイブリダイゼーション後，Streptavidin R-Phycoerythrin（SA-PE）で蛍光標識する。 [8]Luminex 100/200 システムを用いて検出，解析する。 4）xTAG CYP2D6 kit v3 RUO による CYP2D6 遺伝子多型検査結果の解析研究責任者又は研究分担者は遺伝子型から判断して表現型を特定する。表現型が Intermediate metabolizer (IM）又は Extensive metabolizer （EM）の場合には，経口治療薬 1 回 100mg，1 日 2 回の投与が可能となる。Ultra Rapid Metabolizer （URM），及び PoorMetabolizer (PM）の患者には投与を避けることが望ましい。経口治療薬の用法用量は，添付文書の記載に従う。 5）研究責任者又は研究分担者は CYP2D6 遺伝子多型から判断された表現型を被験者に伝える。被験者のゴーシェ病の治療医が研究責任者（又は研究分担者）ではない場合，研究責任者（又は研究分担者）は治療を担当する医師にも伝える。電子媒体で伝える場合は，パスワードを設定し電子媒体の暗号化を図る。パスワードは電子媒体とは別に連絡する。 6）本研究によって得られた日本人患者における CYP2D6 遺伝子多型の分布の傾向を過去に報告されている日本人データ 4） 5） と比較を行い，傾向の類似性を確認する。これらのデータは海外データと共に薬事申請時の資料とすることを計画している。
40	MRI 撮影及び超音波検査融合画像に基づく前立腺針生検法	前立腺がんが疑われるもの（超音波により病変の確認が困難なものに限る。）	まず，血清 PSA 値が 4.0ng/mL 以上 20.0ng/mL 以下の患者を候補とする。候補患者に対して MRI を実施し，Significant cancer が疑われた症例のうち，除外基準を満たさない患者を選定する。 本生検では，事前に BioJet ソフトウェアに MRI（DICOM 画像）を取り込み，前立腺尖部から底部まで，および癌を疑う部位（Region of Interests，ROI）のセグメンテーション（輪郭を明確に示すこと）を行い，画像処理技術により，3 次元モデルを作成。座標センサーが搭載されたアームに取りつけられた経直腸的超音波プローブを肛門から挿入。MRI の 3 次元モデルとリアルタイムの TRUS 前立腺画像をプローブのマニュアル操作および弾性融合機能により一致させる。前立腺観察時のプローブの動きは，座標センサーにより BioJet ソフトウェアに認識されるため，TRUS により観察されている部位の MRI が，同一画面上にリアルタイムで表示される（MRI-TRUS 融合画像）。術者は，この融合画像に基づき，ROI の前立腺組織を生検することができる。

第３項先進医療【先進医療 B】（71 種類） 4 月 10 日

番号	先進医療技術名	適応症	技術の概要
1	パクリタキセル腹腔内投与及び静脈内投与並びにＳ－１内服併用療法	腹膜播種又は進行性胃がん（腹水細胞診又は腹腔洗浄細胞診により遊離がん細胞を認めるものに限る。）	腹腔ポートより，パクリタキセルを腹腔内に直接投与する。また，全身化学療法として，経口抗悪性腫瘍剤であるＳ - １の内服及びパクリタキセル経静脈投与を併用する。 この化学療法は 21 日間を 1 コースとして行い，S-1 は標準量（80mg/m^2）を 14 日間内服し，7 日間休薬する。パクリタキセルは第 1 日目及び第 8 日目に 50 mg/m^2 を経静脈投与，20 mg/m^2 を腹腔内投与する。本療法は，(1) 腫瘍の進行が確認される，(2) 有害事象により継続困難となる，（3）治療が奏効して腹膜播種や腹腔内遊離がん細胞が消失する，のいずれかの状況に至るまで反復する。（3）の場合には，根治的手術の実施を考慮する。
2	経カテーテル大動脈弁植込み術	弁尖の硬化変性に起因する重度大動脈弁狭窄症（慢性維持透析を行っている患者に係るものに限る。）	本医療で使用される機器は，狭窄した大動脈弁に植え込まれる人工弁（以下，生体弁）とそれを適正位置まで送達するデリバリーシステムで構成される。生体弁はステンレス製のステント状フレームにウシの心のう膜弁（三葉の組織弁）がマウントされたものである。デリバリーシステムは，経皮的冠動脈形成術と同様にバルーンカテーテルとシースイントロデューサおよびダイレータ等で構成される。 留置方法には経大腿アプローチと経心尖アプローチの２方法ある。 【経大腿アプローチ】 1. 大腿動脈を穿刺し，ガイドワイヤを左室まで進める。大腿動脈が狭小でありシースの挿入に危険が伴うと判断された場合は，傍腹直筋小切開を行い後腹膜経由にて総腸骨動脈に至り，同様の手技を施行する。前拡張用のバルーンカテーテルを腸骨大腿動脈部から挿入し，ラピッドペーシング下で狭窄した大動脈弁の弁口部を広げる。 2. ガイドワイヤを左室に残した状態でカテーテルを抜去した後，ダイレータを用いて穿刺部を広げシースイントロデューサを留置する。 3. 弁を洗浄した後，圧縮器を用いてバルーンカテーテル上に圧縮し，装着する。 4. カテーテルに弁が装着されたバルーンカテーテルを通し，シースから大腿動脈部に挿入，前拡張した大動脈弁まで進める。 5. ラピッドペーシングの下，狭窄した大動脈弁弁口部でバルーンを拡張し，弁を留置する。 1. 第 5 あるいは第 6 肋間を小切開し心尖部心膜に達する。心膜を切開し心尖部を露出する。 2. 心尖部に二重巾着縫合を行い，18 ゲージ針を穿刺，ガイドワイヤを左室内に挿入する。 3. ガイドワイヤを用いて前拡張用のバルーンカテーテルをシースに挿入し，ラピッドペーシング下で狭窄した大動脈弁の開口部を広げる。 4. 以下経大腿アプローチと同様の手順で弁を留置する。 本治療法はすでに欧米にて 1000 例以上の臨床実績があり，2007 年には CE マークの認証を受け，欧州で市販が開始されている。また，米国においては，有効性および安全性を検証するピボタル試験（PARTNER-US）が進行中である。
3	パクリタキセル静脈内投与（一週間に一回投与するものに限る。）及びカルボプラチン腹腔内投与（三週間に一回投与するものに限る。）の併用療法	上皮性卵巣がん，卵管がん又は原発性腹膜がん	局所麻酔または硬膜外麻酔下の小開腹を行い，腹腔ポートを留置する。このポートより，カルボプラチンを腹腔内に直接投与する。また，全身化学療法としてパクリタキセル経静脈内投与を併用する。 この化学療法は 21 日間を１コースとして行い，パクリタキセルは第 1 日目，第 8 日目及び第 15 日目に標準量（80mg/m2 ）を経静脈投与，カルボプラチンを第 1 日目に標準量（※ AUC6（mg/L)･h）を腹腔内投与し，計６コースを行う。 ※ AUC : area under the blood concentration time curve（薬物血中濃度－時間曲線下面積）

番号	先進医療技術名	適応症	技術の概要
4	十二種類の腫瘍抗原ペプチドによるテーラーメイドのがんワクチン療法	ホルモン不応性再燃前立腺がん（ドセタキセルの投与が困難な者であって，HLA-A24が陽性であるものに係るものに限る。）	まず，血液検査にてヒト白血球抗原（HLA）のタイプがHLA-A24陽性であることを確認する。 次に，HLA-A24により特異的に抗原提示される12種類のがんペプチドに対する血液中の抗体量を測定し，抗体量の多い，つまり免疫反応性が高いと推測されるがんペプチドを最大4種類まで選択する。 以上のように患者個別に選択したがんペプチドワクチンを，それぞれ週に1回の頻度で皮下注射し，計8回投与にて第1治療期間終了とする。第2治療期間以降は2週間に1回の頻度とし，1治療期間の投与回数は同様に計8回とする。
5	経胎盤的抗不整脈薬投与療法	胎児頻脈性不整脈（胎児の心拍数が毎分百八十以上で持続する心房粗動又は上室性頻拍に限る。）	本治療は入院，24時間の安全性管理のもとで行われる。 まず，胎児心エコーにて，上室性頻脈，心房粗動等の頻脈性不整脈の分類を行う。各胎児診断と胎児水腫の有無により，抗不整脈薬であるジゴキシン，ソタロール，フレカイニド又はその組み合わせの中から使用薬剤及び投与量を選択する。胎児心拍モニタリング下で，母体に対し経口又は経静脈的に抗不整脈薬を投与し，胎盤を介した胎児への効果を期待する。
6	低出力体外衝撃波治療法	虚血性心疾患（薬物療法に対して抵抗性を有するものであって，経皮的冠動脈形成術又は冠動脈バイパス手術による治療が困難なものに限る。）	治療には心臓超音波装置を内蔵した体外衝撃波治療装置を用いる。まず，患者を仰臥位とする。次に，体外衝撃波治療装置に内蔵した超音波プローブを前胸壁に当て，虚血部位の心筋に照準を合わせ低出力衝撃波（約0.1mJ/mm^2，尿路結石破砕に用いられている出力の約10分の1）を照射する。照射部位数は虚血範囲に応じて40～70カ所とし，1カ所につき200発照射する。この衝撃波治療を1～2日おきに計3回行い終了とする。
7	重症低血糖発作を伴うインスリン依存性糖尿病に対する脳死ドナー又は心停止ドナーからの膵島移植	重症低血糖発作を伴うインスリン依存性糖尿病	膵島移植は，血糖不安定性を有するインスリン依存状態糖尿病に対して，他人より提供された膵臓から分離した膵島組織を移植することで血糖の安定性を取り戻すことを可能とする医療である。局所麻酔下に膵島組織を門脈内に輸注する方法で移植され，低侵襲かつ高い安全性を有することが特徴である。本治療法においては，血糖安定性を獲得するまで移植は複数回（原則3回まで）実施でき，免疫抑制法は新たに有効性が確認されているプロトコールが採用されている。
8	術後のホルモン療法及びS－1内服投与の併用療法	原発性乳がん（エストロゲン受容体が陽性であって，HER2が陰性のものに限る。）	対象症例は，組織学的に浸潤性乳癌と診断された女性（病期Stage～III A及びIII B）で根治手術及び標準的な術前又は術後化学療法が施行された（対象によっては標準的化学療法の省略を可とする），エストロゲン受容体陽性かつHER2陰性で，再発リスクが中間以上である患者とする。本試験に登録された症例は，標準的術後ホルモン療法単独，又は標準的術後ホルモン療法とTS－1の併用療法のいずれかに割り付けられ，両群ともに標準的術後ホルモン療法5年間を実施，併用療法群は標準的術後ホルモン療法と同時にTS－1を1年間授与する。TS－1体表面積及びクレアチニンクリアランスによって規定された投与量を朝食後及び夕食後の1日2回，14日間連日経口投与し，その後7日間休薬する。これを1コースとして，投与開始から1年間，投与を繰り返す。
9	削除	―	―
10	培養骨髄細胞移植による骨延長術	骨系統疾患（低身長又は下肢長不等である者に係るものに限る。）	骨延長術時に骨髄液を採取し，間葉系幹細胞を含む細胞を自己血清含有の骨芽細胞誘導培地にて3週間培養し骨芽細胞へ分化誘導する。多血小板血漿は移植前日に自己静脈血より遠心分離法により精製する。培養細胞の安全性を確認後，培養細胞と多血小板血漿を混合してトロンビン，カルシウムとともに骨延長部位に注射により移植して，早期に骨形成を促す治療法である。
11	NKT細胞を用いた免疫療法	肺がん（小細胞肺がんを除き，切除が困難な進行性のもの又は術後に再発したものであって，化学療法が行われたものに限る。）	NKT細胞は特異的リガンドであるαガラクトシルセラミドにより活性化すると腫瘍に対して直接的に，もしくは他の免疫担当細胞を活性化して間接的に強力な抗腫瘍効果を発揮する。体内NKT細胞の活性化を誘導するために，末梢血より成分採血にて単核球を採取して樹状細胞を誘導し，αガラクトシルセラミドを添加した後に，本人に点滴静注にて投与する。

番号	先進医療技術名	適応症	技術の概要
12	ペメトレキセド静脈内投与及びシスプラチン静脈内投与の併用療法	肺がん（扁平上皮肺がん及び小細胞肺がんを除き，病理学的見地から完全に切除されたと判断されるものに限る。）	PEM+CDDP 併用療法は，1 日目に PEM は 500mg/m^2 と CDDP は 75 mg/m^2 を投与し，3 週毎に 4 回投与する。進行非扁平上皮非小細胞肺癌に対する有効性，および安全性が確立した治療であり，さらには術後補助化学療法としても期待されている治療法である。
13	ゾレドロン酸誘導γδT 細胞を用いた免疫療法	非小細胞肺がん（従来の治療法に抵抗性を有するものに限る。）	患者末梢血から単核細胞（PBMC）を採取し，その中に含まれるγδT 細胞をゾレドロン酸と IL-2 を用いて体外で刺激培養した後，再び患者の体内に戻す（点滴静注）。アフェレーシスで採取した PBMC を分注して凍結保存し，培養に用いる。γδT 細胞の投与（点滴静注）を２週間毎に６回実施する。効果が確認された患者ではさらに治療を継続する。
14	コレステロール塞栓症に対する血液浄化療法	コレステロール塞栓症	動脈硬化性プラークの破綻によりコレステロール結晶が飛散し，末梢小動脈を塞栓し，他臓器に重篤な障害が発生するコレステロール塞栓症のうち，血管内操作および血管外科的手術が誘発因子となり，腎機能障害を示した患者を対象とし，リポソーバー LA － 15 を用いた血液浄化療法と薬物治療の併用により，腎機能を改善させられるかを検証する。
15	削除	—	—
16	NKT 細胞を用いた免疫療法	頭頸部扁平上皮がん（診断時のステージが IV 期であって，初回治療として計画された一連の治療後の完全奏功の判定から八週間以内の症例（当該期間内に他の治療を実施していないものに限る。）に限る。）	標準治療終了後の頭頸部扁平上皮がんを適応症とした，末梢血単核球由来の培養細胞に NKT 細胞特異的リガントを提示させて鼻粘膜に投与し，内在性 NKT 細胞を活性化させ抗腫瘍効果を得る新規の免疫細胞治療である。
17	C 型肝炎ウイルスに起因する肝硬変に対する自己骨髄細胞投与療法	C 型肝炎ウイルスに起因する肝硬変（Child － Pugh 分類による点数が七点以上のものであって，従来の治療法（肝移植術を除く。）ではその治療に係る効果が認められないものに限る。）	全身麻酔下で患者の腸骨より骨髄液を約 400ml 採取の上，骨髄採取キットにより骨片を除去し（血液疾患の骨髄移植に準じて），無菌的に単核球分画の分離精製を行い，末梢静脈から約 2-3 時間かけて投与する。
18	自己口腔粘膜及び羊膜を用いた培養上皮細胞シートの移植術	スティーブンス・ジョンソン症候群，眼類天疱瘡又は熱・化学腐食に起因する難治性の角結膜疾患（角膜上皮幹細胞が疲弊することによる視力障害が生じているもの，角膜上皮が欠損しているもの又は結膜嚢が癒着しているものに限る。）	被験者より採取した口腔粘膜組織を用いて，先端医療センターにてヒト羊膜基質上で培養した口腔粘膜上皮シートの移植により，角膜再建（視力改善，上皮修復）および結膜嚢再建（癒着解除）を行う。対象患者は，難治性角結膜疾患のうち，原疾患がスチーブンス・ジョンソン症候群，眼類天疱瘡，重症熱・化学腐食のいずれかであるもので，以下の３つのグループに分けられる。 1） 視力障害の患者（（上記３疾患ごとに６症例ずつ計 18 症例） 2） 亜急性遷延性上皮欠損の患者（上記３疾患のいずれかは問わない。計６症例） 3） 結膜嚢癒着の患者のうち，眼類天疱瘡の進行予防のために結膜嚢形成が必要な患者や白内障手術予定患者等（上記３疾患のいずれかは問わない。計６症例） 主要評価項目は対象患者に対応して，以下の通りとする。 1）移植前から移植後 24 週の遠見（5m）視力の変化 2）移植前から移植後 24 週の上皮異常総合スコア（上皮欠損，結膜侵入，血管侵入のスコア値の和）の変化 3）移植前から移植後 24 週の眼科所見における結膜嚢癒着スコア（上下の和）の変化 いずれのグループも，難治性角結膜疾患の治療を目的としており，安全性評価項目は同一であるため，一つの臨床試験として実施することとする。 副次的評価項目は共通で，結膜所見（角化，結膜充血，結膜嚢癒着上・下），角膜所見（眼球癒着，角化，上皮欠損，結膜侵入，血管侵入，角膜混濁）とする。安全性評価は有害事象の発現頻度と重症度とする。
19	削除	－	－

番号	先進医療技術名	適応症	技術の概要
20	経皮的乳がんラジオ波焼灼療法	早期乳がん（長径が一・五センチメートル以下のものに限る。）	全身麻酔導入後，通常は，RFA 治療前にセンチネルリンパ節生検を施行する。RFA の手技は US で腫瘍を確認し穿刺部位を決定したのち，穿刺予定部位を消毒，局所麻酔を行なう。US 画像をガイドとして電極針を腫瘍に刺入して，ジェネレーターというラジオ波発生装置に接続し，通電を開始する。1 回の通電につき通常 10 分前後でインピーダンスが上昇し，通電完了する。通電終了後は電極針を抜去する。US を再度撮像し，治療効果および合併症の有無を観察し，治療終了となる。治療時間は検査，準備も含めて約 20 分である。 RFA 施行後，数週間後より通常の乳房照射を追加し局所治療を終了する。
21	インターフェロンα皮下投与及びジドブジン経口投与の併用療法	成人 T 細胞白血病リンパ腫（症候を有するくすぶり型又は予後不良因子を有さない慢性型のものに限る。）	くすぶり型と慢性型成人 T 細胞白血病リンパ腫（ATL）に対して IFN α /AZT 療法群と Watchful waiting 群の 2 群に無作為割り付けを実施。主要評価項目として無イベント生存期間を両群で比較する多施設共同無作為割り付け試験。組み込み予定症例は片群 37 例，両群 74 例。登録期間 3 年，追跡期間 2 年，総試験期間 5 年である。IFN α /AZT 療法群に割りつけられた症例には，レトロビル ® カプセル（600 mg）を連日経口投与する。また，IFN αとしてスミフェロン ® 注 DS 300 万単位を 1 サイクル目には 1 日 1 回連日皮下投与し，day8 から 600 万単位に増量する。2 サイクル目以降は day 1 から 600 万単位を投与する。1 治療サイクルを 28 日（4 週）とし，第 4 治療サイクルからはレトロビル ® カプセル（400 mg）を連日経口投与，スミフェロン ® 注 DS 300 万単位を連日皮下投与に減量する。当初 10 日間入院し，以後外来治療を増悪または毒性中止まで継続する。この間，2 週毎に外来受診し，日和見感染予防薬の連日内服と定期的な診察と血液 / 画像検査を行う。
22	冠動脈又は末梢動脈に対するカテーテル治療におけるリーナルガードを用いた造影剤腎症の発症抑制療法	腎機能障害を有する冠動脈疾患（左室駆出率が三十パーセント以下のものを除く。）又は末梢動脈疾患	eGFR が 45 ml/min/1.73m2 又はそれ以下の腎機能障害を有し，かつ左室駆出分画（EF）が 30%を超える冠動脈又は末梢動脈疾患患者で，カテーテル治療を受ける造影剤使用患者を対象に，リーナルガードの有用性，安全性を検討する，多施設共同非盲検単群試験。予定組み込み症例は 60 例。 造影剤を使用するカテーテル治療開始 90 分前に，輸液ルート確保のため 18G 以上の留置針で末梢静脈確保し，導尿カテーテルを留置。リーナルガードの輸液セットを患者に繋ぎポンプに装着する。30 分以上かけて，250 ml の生理食塩水を急速輸液する。尿量が 300ml/ 時以上を維持するように補液排尿バランスを本機器により調整。適宜フロセミドの静脈内投与を許容する（最大 2 回まで 0.50mg/kg）。最終造影剤注入 4 時間後にこれらのシステムを抜去する。 主要評価項目は造影剤腎症発生率（有効性評価）および重大な有害事象の発生率（安全性評価）。造影剤腎症の定義は，造影剤使用後 3 日以内に血清クレアチニンが前値より 25%以上又は 0.5 mg/dl 以上増加した場合とする。
23	トレミキシンを用いた吸着式血液浄化療法	特発性肺線維症（急性増悪の場合に限る。）	本研究に組み入れた全ての患者に対し，薬物治療（ステロイド大量療法，好中球エラスターゼ阻害薬及び免疫抑制剤の併用療法）に加えて，トレミキシンを用いた PMX 療法を施行する。PMX 療法は，抗凝固剤（ナファモスタットメシル酸塩　30mg/ 時）投与下で，流量 60 ～ 100 m L/ 分，トレミキシン 1 本につき 6 時間以上(24 時間まで)，最低 2 本（最大 3 本）を使用することとし，PMX 療法終了後 12 週間までは経過観察する。主要評価項目は PMX 療法開始後 4 週間の生存率とする。そのほかの評価項目は 1）肺酸素化能の短期効果（P/F 比，AaDO2），2）胸部画像の短期および中期効果，X 線画像又は HRCT 画像，3）血中 CRP の短期効果，4）肺酸素能の中期効果（P/F 比，AaDO2），5）人口呼吸器の使用期間，6）PMX 療法開始後 12 週間の生存率（Kaplan-Meier 法）。予定組み込み症例は 20 症例である。

番号	先進医療技術名	適応症	技術の概要
24	腹腔鏡下センチネルリンパ節生検	早期胃がん	本試験は術前診断 T1N0M0，腫瘍長径 4cm 以下と診断された単発性の早期胃癌症例を対象として，「SN を LN 転移の指標とした個別化手術群」を行い，その根治性・安全性を検証する第 II 相多施設共同単群試験である。すべての症例に SN 生検を行い，術中 SN 転移陰性の場合には SN 流域切除を原則とした縮小胃切除（噴門側胃切除，幽門保存胃切除，胃部分切除，分節切除）を行って「縮小手術群」（A 群）とする。流域切除範囲によって縮小手術が困難な場合には従来通りの胃切除術（幽門側胃切除術・胃全摘術）（B 群）を実施する。また，SN 転移が陽性の場合には D2LN 郭清と定型胃切除（幽門側胃切除術・胃全摘術）（C 群）を行う。Primary Endpoint は 5 年無再発生存割合，Secondary Endpoints は SN 同定率，転移検出感度，3 年無再発生存割合，3 年･5 年全生存割合，術後 QOL とする。Primary Endpoint すなわち個別化手術の根治性・安全性の評価は，本試験登録 A ～ C 群（個別化手術群）の手術成績とこれまで報告されてきた同じ早期胃癌に対する手術成績を比較し，A 群のみの部分集団での予後についても Secondary Endpont として同時に検証する。術後 QOL に関しては「個別化手術群」内での比較も行う。
25	オクトレオチド皮下注射療法	先天性高インスリン血症（生後二週以上十二月未満の患者に係るものであって，ジアゾキサイドの経口投与では，その治療に係る効果が認められないものに限る。）	ジアゾキサイド不応性先天性高インスリン血症（高インスリン血性低血糖症）を対象にオクトレオチド持続皮下注射療法の有効性，安全性を検討する多施設単群非盲検試験。有効性の主要評価項目は短期有効性（投与開始前 24 時間と，投与開始後 48 時間以内で同一治療条件ごとの平均血糖値を患者ごとに比較し，投与前と比較して 50mg/dL 以上上昇したものを有効例とし有効例 / 総患者数を有効率として評価する），副次評価項目は長期有効性（ブドウ糖輸液量が 6mg/kg/ 分（8.64g/kg/ 日）以下に減量できたものを有効例，離脱できたものを著効例とし，有効例 / 総患者数を有効率，著効率 / 総患者数を著効率として評価する），発達予後及び治療中の低血糖である。安全性の評価項目は身体計測値，有害事象，臨床検査，腹部超音波検査，胸部超音波検査・心拍モニターによる心合併症の評価で，予定組み込み症例数は 5 例である。初期治療は入院にて行い，症状改善に応じて外来治療へ移行して継続する。
26	アルテプラーゼ静脈内投与による血栓溶解療法	急性脳梗塞（当該疾病の症状の発症時刻が明らかでない場合に限る。）	試験デザイン：第 III 相国際多施設共同オープンラベル無作為化臨床試験 ・主要評価項目：90 日後 modified Rankin Scale（mRS）0 ～ 1 の割合。 副次評価項目：試験開始 24 時間後，7 日後における NIH Stroke Scale 値のベースライン値からの変化。試験開始 90 日後における mRS を 0 ～ 2 とする臨床的改善率。試験開始 90 日後における mRS をシフト解析を用いて評価した臨床的改善率。 安全性評価項目：試験開始後 24 時間以内の sICH 発現率。試験期間中の大出血発現率。試験期間中の全死亡。 ・対象：20 歳以上の，最終未発症確認時刻から治療開始可能時刻まで 4.5 時間超 12 時間以内で発見から 4.5 時間以内に治療開始可能な脳梗塞患者。頭部 MRI 検査の拡散強調画像で ASPECTS ☒ 5 かつ FLAIR で初期虚血病変と考えられる明らかな高信号所見がみられず，NIHSS 5 ～ 25。 ・治療：rt-PA（0.6mg/kg，34.8 万国際単位 /kg）10%をボーラス注射投与し，残りの 90%を 1 時間で点滴静注投与，もしくは rt-PA 静注療法を除く脳梗塞の通常治療 ・目標症例数：300 例 ・登録：コンピュータプログラムを用いて中央審査方式により，rt-PA 群または通常治療群のいずれかに 1:1 の割合で無作為に割り付け登録する。
27	S-1 内服投与，オキサリプラチン静脈内投与及びパクリタキセル腹腔内投与の併用療法	腹膜播種を伴う初発の胃がん	本試験は，腹膜播種陽性の初発胃癌症例を対象として，一次治療としての S-1 ／オキサリプラチン+パクリタキセル腹腔内投与併用療法の有効性と安全性を評価することを目的とする。21 日を 1 コースとして，基準量（80mg/m2）の S-1 を 14 日間内服，7 日間休薬し，オキサリプラチン 100mg/m2 を第 1 日目に経静脈投与，パクリタキセル 40mg/m2 を第 1，8 日目に腹腔内投与する。

番号	先進医療技術名	適応症	技術の概要
			本療法は腫瘍進行が確認されるか，有害事象により継続困難となるか，奏効が確認され手術を決定するまで反復する。 主要評価項目は１年全生存割合，副次的評価項目は奏効率，腹腔洗浄細胞診陰性化率および安全性とする。本試験には，S-1 ＋パクリタキセル経静脈・腹腔内併用療法（先進医療）の第 III 相試験に参加中の全国 20 施設が参加し，登録症例数は 50 例を予定する。
28	放射線照射前に大量メトトレキサート療法を行った後のテモゾロミド内服投与及び放射線治療の併用療法並びにテモゾロミド内服投与の維持療法	初発の中枢神経系原発悪性リンパ腫（病理学的見地からびまん性大細胞型 B 細胞リンパ腫であると確認されたものであって，原発部位が大脳，小脳又は脳幹であるものに限る。）	初発中枢神経系原発悪性リンパ腫（PCNSL）に対する照射前大量メトトレキサート療法（HD-MTX 療法）＋テモゾロミド（TMZ）併用放射線療法＋維持 TMZ 療法が，標準治療である照射前大量メトトレキサート療法（HD-MTX 療法）＋放射線治療に対して優れていることをランダム化比較試験にて検証する。
29	FDG を用いたポジトロン断層・コンピューター断層複合撮影による不明熱の診断	不明熱（画像検査，血液検査及び尿検査により診断が困難なものに限る。）	"38℃以上の熱が３週間以上繰り返し出現し，３日間の入院検査あるいは３回の外来検査で診断がつかない" という従来の定義から，現在の医療水準を鑑み２週間以上発熱が継続し，新たに設定した胸部腹部 CT 等の検査項目を施行したにも関わらず診断のつかない不明熱患者を対象に FDG-PET/CT の有用性を検討するために主要評価項もこうを FDG-PET/CT 及びガリウム SPECT による熱源部位検出感度の紗を比較する試験。予定症例数は 180 例である。不明熱とは，構成士官は極めて多岐にわたるため，いかに速やかに高い精度で正しい診断にたどり着けるかが診療の成否を分ける。一般的な画像診断や血液検査で診断がつかないとき，FDG-PET/CT により全身の活動性の病変の有無を検索し，病理診断や細菌検査などで確定診断に到達することができる。
30	FDG を用いたポジトロン断層撮影によるアルツハイマー病の診断	アルツハイマー病	AD と FTLD の診断制度向上を目的にこれらの症例を対象に１年間の経過観察後に再評価した最終的な臨床診断結果をゴールドスタンダードとして，FDG-PET の画像所見（中央読影所見および関心領域による定量解析）と CSF 中の p-tau181 の AD と FTLD の鑑別診断における診断能感度の差を主要評価項目として検討を行う。同意取得ができた AD，FTLD の被験者に対し，臨床検査，神経心理検査，MRI 検査を行い，登録可能であれば，登録後４週間以内に FDG-PET 検査，CSF 検査を行い，12 ヵ月後に神経心理検査，MRI 検査を再評価する。登録時の FDG-PET について，臨床診断，FDG-PET 以外の検査結果，臨床経過を全て盲検化した上で，視察による画像評価，定量的関心領域（ROI）解析を行う。１年間の臨床経過を考慮した最終的な臨床診断を基準診断として，FDG-PET 検査の診断能と CSF 中の p-tau181 の診断能を比較検討して，FDG-PET 検査の診断能がすでに保険収載されている CSF 中の p-tau181 よりも高いことを確認する。
31	全身性エリテマトーデスに対する初回副腎皮質ホルモン治療におけるクロピドグレル硫酸塩，ピタバスタチンカルシウム及びトコフェロール酢酸エステル併用投与の大腿骨頭壊死発症抑制療法	全身性エリテマトーデス（初回の副腎皮質ホルモン治療を行っている者に係るものに限る。）	全身性エリテマトーデス患者を対象に，初回ステロイド治療開始と同時に，抗血小板薬（クロピドグレル硫酸塩），高脂血症治療剤（ピタバスタチンカルシウム），ビタミン E（トコフェロール酢酸エステル）の３剤を３ヶ月間併用投与することによる大腿骨頭壊死の発生抑制効果を検討する多施設共同単群介入試験である。主要評価項目は治療開始６ヶ月後の MRI による両股関節の大腿骨頭壊死症発生の有無である。予定組み込み症例は 150 例。ヒストリカルコントロールを比較対照とし，統計学的有意差をもって大腿骨頭壊死症発生率が低下した場合，本介入が有効であると判断する。

番号	先進医療技術名	適応症	技術の概要
32	術前のTS-1内服投与，パクリタキセル静脈内及び腹腔内投与並びに術後のパクリタキセル静脈内及び腹腔内投与の併用療法	根治切除が可能な漿膜浸潤を伴う胃がん（洗浄細胞診により，がん細胞の存在が認められないものに限る。）	21日を1コースとし，TS-1は基準量（80mg/m^2）を14日間内服し，7日間休薬する。パクリタキセルは第1，8日目に50mg/m^{2}を経静脈投与，20mg/m^{2}を腹腔内投与する。術前に3コース施行後42日以内（56日間まで許容）に手術を施行する。加えて術術後は21日を1コースとし，パクリタキセルを第1，8日目に50mg/m^{2}経静脈投与，20mg/m^{2}腹腔内投与を3コース施行する。
33	NKT細胞を用いた免疫療法	肺がん（小細胞肺がんを除き，ステージがIIA期，IIB期又はIIIA期であって，肉眼による観察及び病理学的見地から完全に切除されたと判断されるものに限る。）	原発性肺がんは年間死亡者数が7万人を超えて更に増加傾向であり，その大半を占める進行期症例は化学療法により治療されるものの治癒は困難である。完全切除後肺がんに用いられる補助化学療法としての抗がん剤には，シスプラチン，ビノレルビンなどが用いられ，再発死亡率を減少させることが証明されているが，それは10～20%程度と不充分である。NKT細胞は特異的リガンドであるαガラクトシルセラミドにより活性化すると強力な抗腫瘍効果を示すと同時に，他の免疫担当細胞を活性化するアジュバント効果を示し，抗腫瘍効果を発揮する。体内NKT細胞の活性化を誘導するために，末梢血から成分採血で単核球を採取して1～2週間培養を行い，樹状細胞を誘導する。投与前にαガラクトシルセラミドを樹状細胞に提示させ，本人の静脈内へ培養1週目と2週目に点滴投与する。投与されたαガラクトシルセラミド提示細胞が体内NKT細胞を活性化し，抗腫瘍効果を発揮する。進行期または再発非小細胞肺がん患者に対して，本治療法を開発した千葉大学において2001年以降，24例の臨床試験の報告がなされている。本試験の目的は，II-IIIA期非小細胞肺がん完全切除例で，術後補助化学療法後にαガラクトシルセラミドパルス樹状細胞を用いた免疫療法の有無で2群にランダム化する第II相試験を行い，無再発生存期間を主要評価項目として，その有効性，安全性を検討し，新たな治療の選択法を開発することである。予定組み込み症例は片群28例，両群56例である。総試験期間は5年を予定している。
34	ベペルミノゲンペルプラスミドによる血管新生療法	閉塞性動脈硬化症又はビュルガー病（血行再建術及び血管内治療が困難なものであって，フォンタン分類III度又はIV度のものに限る。）	代替治療が困難な慢性動脈閉塞症（閉塞性動脈硬化症又はビュルガー病）患者に対するAMG0001の筋肉内投与の有効性及び安全性を検討するために，同患者を対象に以下の方法で治療を行い，主要評価項目を（1）Fontaine分類III度の患者:安静時疼痛（VAS）の改善（投与前値から20 mm以上減少した場合を「改善」と定義），（2）Fontaine分類IV度（潰瘍）の患者：潰瘍の改善（:投与前値から75%以下に潰瘍が縮小した場合を「改善」と定義する）とする多施設共同前向き非盲検単群試験。予定登録症例数は6例。AMG0001を日局生理食塩液で希釈し，対象肢の虚血部位に対して1部位あたり0.5 mgずつ8部位（合計4.0 mg）に筋肉内投与する。投与は4週間の間隔をあけて2回行う。治療期8週後において改善傾向が認められない場合には，更に3回目の投与を実施する。有効性及び安全性の評価は，AMG0001の1回目投与12週後に行う。希釈後のAMG0001の1部位あたりの投与液量は3.0 mLとし，投与対象筋が小さい場合には2.0 mLまで減じてよい。注射部位はエコーガイド下で虚血の状態により被験者ごとに決定する。
35	内視鏡下手術用ロボットを用いた腹腔鏡下胃切除術	根治切除が可能な胃がん（ステージI又はIIであって，内視鏡による検査の所見で内視鏡的胃粘膜切除術の対象とならないと判断されたものに限る。）	内視鏡手術支援ロボットの有用性を検討するために，内視鏡的切除の適応外とされた治癒切除可能胃癌（臨床病期Iまたは11）を対象に内視鏡手術支援ロボット（daVinciSurgical System）による胃手術を実施。主要評価項目をClavien-'Dindo分類のGrade3以上の全合併症の有無，主な副次評価項目をClavien-Dindo分類のGrade2以上の全合併症の有無，EQ-5Dによる術後QOL，医療費，無再発生存期間，ロボット支援下胃切除術完遂の有無，開腹移行の有無，術中有害事象発生の有無とする多施設共同非盲検単群試験。予定組み込み症例は330例。

番号	先進医療技術名	適応症	技術の概要
			本器機は実際に操作するサージョンコンソール，患者の腹腔内に挿入するロボットアームが装着されたペイシェントカート，光学器が搭載されているビジョンカートの３装置により構成される。術者はサージョンコンソールにて 3-D 画像下で，10 ～ 15 倍の拡大視効果を得て手術を行う。術者が操作レバーを扱い，ペイシェントカート上のロボットアームおよびエンドリストと称する手術鉗子（7 度の自由度を有する関節機能付き）を遠隔操作し，繊細な手術操作を行う。
36	腹膜偽粘液腫に対する完全減量切除術における術中のマイトマイシンＣ腹腔内投与及び術後のフルオロウラシル腹腔内投与の併用療法	腹膜偽粘液腫（画像検査により肝転移及びリンパ節転移が認められないものであって，放射線治療を行っていないものに限る。）	腹膜偽粘液腫の患者を対象に，CRS（右壁側腹膜切除，右半結腸切除，左壁側腹膜切除，骨盤腹膜切除，低位前方切除，子宮・付属品切除，右横隔膜下腹膜切除，肝被膜切除，胆摘，左横隔膜下腹膜切除，大網切除，脾摘，小網切除，胃切除等の組み合わせ）を行う。残存病変の大きさが 2.5mm 以下となった場合を完全減量切除とする。完全減量切除が達成できた症例に，MMC10mg/m2 を 2000 ～ 3000mL の 41℃～ 42℃の温生食に溶解し，高温を維持したまま１時間腹腔内に還流させる（HIPEC)。HIPEC 終了後閉腹する。術翌日より，腹腔内に 5-FU15mg/kg/NS1000mL を腹腔内に投与し，24 時間毎に薬剤の入れ替えを行う。これを４日間連続で繰り返す。本治療法終了後は，５年間経過観察を行い，５年生存割合を主要エンドポイントとする，その他，無再発生存期間，無病生存期間，全生存期間を推定する。安全性はプロトコール治療終了後 30 日後まで，有害事象の収集を行い，CTCAE v 3.0 に従って Grade 判定を行う。
37	C11 標識メチオニンを用いたポジトロン断層撮影による再発の診断	頭頸部腫瘍（原発性若しくは転移性脳腫瘍（放射線治療を実施した日から起算して半年以上経過した患者に係るものに限る。）又は上咽頭，頭蓋骨その他脳に近接する臓器に発生する腫瘍（放射線治療を実施した日から起算して半年以上経過した患者に係るものに限る。）であり，かつ，再発が疑われるものに限る。）	メチオニン合成装置（CT-MET100）を用い製造した炭素 11 標識メチオニンを用いた PET 検査が，先行する医薬品であるフッ素 18 標識 FDG を用いた PET と比較し有用性が高いことを検討するために，原発性および転移性脳腫瘍もしくは隣接臓器の腫瘍に対する放射線治療後半年以上経過した後に生じた放射線治療後の再発が疑われる患者で CT ・ MRI では十分な診断情報が得られない患者を対象として，両画像の感度を比較する多施設一部盲検単群試験。予定組み込み症例は 99 例。試験期間：先進医療承認～平成 28 年 10 月 31 日。　病理診断は第３者による中央読影とし，画像診断は第３者読影期間による部分盲検化を行う。また，病理組織を採取しない内科的治療が選択された患者に対しては早期に外科的・放射線的治療が追加された場合がないかどうかを追跡調査し検討する。
38	術前の S-1 内服投与，シスプラチン静脈内投与及びトラスツズマブ静脈内投与の併用療法	切除が可能な高度リンパ節転移を伴う胃がん（HER2 が陽性のものに限る。）	HER2 過剰発現が確認された高度リンパ節転移を有する胃癌に対するトラスツズマブ併用術前化学療法（S-1+CDDP+ トラスツズマブ併用療法）が，術前化学療法（S-1+CDDP 併用療法）に対して primary endpoint である全生存期間において有意に上回るかどうかを判断する。
39	上肢カッティングガイド及び上肢カスタムメイドプレートを用いた上肢骨変形矯正術	骨端線障害若しくは先天奇形に起因する上肢骨（長管骨に限る。以下この号において同じ。）の変形又は上肢骨の変形治癒骨折（一上肢に二以上の骨変形を有する者に係るものを除く。）	外傷による骨折変形癒合や骨端線障害，先天奇形などにより上肢骨が変形すると機能障害（関節可動域障害，不安定性，疼痛など）を生じ，日常生活動作が障害される。機能再建には，解剖学的に正確な矯正が必須であるが，従来の矯正骨切術では矯正が不完全で機能障害が遺残することが高頻度に起こる。これに対して我々は，CT データを用いて矯正手術をシミュレーションする方法と，シミュレーションを実際の手術で正確に実施するためのカスタムメイド手術ガイドとカスタムメイド骨接合プレートを開発した。カスタムメイド手術ガイドを骨の該当部分に設置してスリットやドリル孔どおりに骨切・ドリリングを行い，カスタムメイド骨接合プレートとネジで骨を固定するだけで，極めて正確な三次元的矯正が可能となる。そこで，上肢骨の変形を有する患者 16 名を対象に，術後 52 週における単純Ｘ線画像計測値から計算される術後遺残する最大変形角を主要評価項目とする臨床研究を計画した。

番号	先進医療技術名	適応症	技術の概要
40	リツキシマブ点滴注射後におけるミコフェノール酸モフェチル経口投与による寛解維持療法	特発性ネフローゼ症候群（当該疾病の症状が発症した時点における年齢が十八歳未満の患者に係るものであって，難治性頻回再発型又はステロイド依存性のものに限る。）	小児期発症難治性頻回再発型 / ステロイド依存性ネフローゼ症候群の患者を対象としたミコフェノール酸モフェチル（MMF）の臨床試験である。リツキシマブを点滴注射した後に MMF を内服する場合に，プラセボを内服する場合と比べて，寛解を維持する効果（再発を抑制する効果）が高くなるか，安全に使えるかを評価する。 【この試験で行う治療】 [1] リツキシマブの点滴注射 リツキシマブ 375mg/m^2/ 回（最大量 500mg/ 回）を 1 日 1 回，約 4 時間かけて点滴注射する。これを 1 週間間隔で 4 回繰り返す。1 回目の点滴注射は入院して行う。点滴注射は，遅い速度からはじめて，状態を観察しながら，少しずつ点滴速度を速くする。1 回目の点滴注射時に副作用（薬による好ましくない作用）がみられなかった場合（もしくは軽度の場合），2 回目以降は外来で行うことができる。 [2] ミコフェノール酸モフェチルもしくはプラセボミコフェノール酸モフェチルもしくはプラセボは，リツキシマブの点滴注射後の決められた時期に開始する。毎日，1,000 ～ 1,200 mg/m^2/ 日（最大量 2g/ 日）1 日 2 回（食後）17 ヵ月間服用する。病気の状態や副作用の出かたにより内服する量を調整することがある。
41	内視鏡下手術用ロボットを用いた内視鏡下咽喉頭切除術	中咽頭がん，下咽頭がん又は喉頭がん（TNM 分類が Tis，T1 又は T2，N0 及び M0 である患者に係るものに限る。）	Tis/1/2 N0 M0 の中咽頭癌，下咽頭癌，喉頭癌の患者を対象に，Da Vinci サージカルシステムを用いた多施設共同で経口的ロボット支援手術（単群試験）を行い，短期間の有効性と安全性を評価する。主要エンドポイントは手術病理標本の断端陽性，副次エンドポイントは手術完遂割合，患者 QOL，有害事象，不具合である。予定症例数は 20 例である。
42	ステロイドパルス療法及びリツキシマブ静脈内投与の併用療法	特発性ネフローゼ症候群（当該疾病の症状が発症した時点における年齢が十八歳未満の患者に係るものであって，難治性ステロイド抵抗性のものに限る。）	小児期発症難治性ステロイド抵抗性ネフローゼ症候群患者を対象としたリツキシマブの臨床試験である。ステロイドパルス療法［最大 5 クール，1 クール：コハク酸メチルプレドニゾロンナトリウム 30mg/kg/ 日（最大投与量 1000mg/ 日）静注投与 3 日間］を併用して，リツキシマブを 4 回投与した場合に，寛解導入効果があるか安全に投与できるかを 1 年間評価する。この試験では効果と安全性を確認するために，決められた時期に来院して診察や検査を受ける。
43	カペシタビン内服投与，シスプラチン静脈内投与及びドセタキセル腹腔内投与の併用療法	腹膜播種を伴う初発の胃がん	本試験は，腹膜播種陽性の初発胃癌症例を対象として，カペシタビン／シスプラチン＋ドセタキセル腹腔内投与併用療法の有効性と安全性を評価することを目的とする。21 日を 1 コースとして，カペシタビン 2,000mg/m^2 を 14 日間内服，7 日間休薬し，シスプラチン 80mg/m^2 を第 1 日目に点滴静注，ドセタキセル 10mg/m^2 を第 1,8 日目に腹腔内投与する。 本療法は腫瘍進行が確認されるか，有害事象により継続困難となるか，奏効が確認され手術を決定するまで反復する。主要評価項目は 1 年全生存割合，副次的評価項目は奏効率，腹腔洗浄細胞診陰性化率および安全性とする。本試験には，先進医療制度下に腹腔内化学療法の臨床試験を実施中の腹腔内化学療法研究会の 34 施設が参加し，登録症例数は 50 例を予定する。
44	周術期カルペリチド静脈内投与による再発抑制療法	非小細胞肺がん（CT 撮影により非浸潤がんと診断されたものを除く。）	現在，本邦では，肺癌は悪性腫瘍による死因の第一位である。非小細胞肺癌完全切除例に対する手術療法はすでに確立された治療法であるが，根治術を施行できても約半数に再発を認めているのが現状である。周術期に転移再発抑制を講じる治療法は未だ確立されていない。一方，これまでの臨床研究から，ヒト心房性ナトリウム利尿ペプチド（hANP）の周術期投与は非小細胞肺癌の術後再発を抑制する有望な治療法である可能性が示唆されている。そこで，肺癌手術の術後再発抑制としての hANP の有用性をランダム化比較試験で評価することを目的に，術後 2 年無再発生存期間を主要評価項目とした臨床試験を計画した。

番号	先進医療技術名	適応症	技術の概要
45	コラーゲン半月板補填材を用いた半月板修復療法	半月板損傷（関節鏡検査により半月板の欠損を有すると診断された患者に係るものに限る。）	現在，半月板損傷に対する有効な薬剤はなく，外科的な修復術にも限界がある。修復不能な損傷に対し切除術が行われ，一時的な疼痛緩和が得られるが，中長期的には関節に力学的負荷を増大し変形性関節症を発症する。以上のことから，新たな半月板補填材の開発が必要であると考えられる。本技術では生体適合性の高いコラーゲンを用いて，半月板と同等の強度を有するコラーゲン半月板補填材を作成し，これを補填材として用いて修復する。 対象疾患：欠損を伴う半月板損傷 手技：コラーゲン半月板補填材を用いた半月板修復術 1） 本登録前に関節鏡視下で，半月板の損傷形態を確認する。 2） 本登録されたのを確認した後，試験物を半月板の欠損に合う形に形成する。 3） 試験物を半月板欠損部に補填後，半月板を縫合する。 4） 試験物の補填後，術翌日から24週間，リハビリテーションを実施する。
46	LDLアフェレシス療法	閉塞性動脈硬化症（薬物療法に抵抗性を有するものであり，かつ，血行再建術及び血管内治療が困難なものであって，フォンタン分類IIB度以上のものに限る。）	現在までの研究成果により，デキストラン硫酸カラム吸着法によるLDLアフェレシス療法が，慢性腎不全に合併した従来治療抵抗性の高コレステロール血症を伴わない閉塞性動脈硬化症に対し，酸化ストレスの抑制，血管内皮特異的NO合成酵素の活性化を伴う血管内皮細胞の機能改善を介し持続的に臨床症状を改善させることが明らかになっている。そこで，本療法では，20歳以上80歳未満の閉塞性動脈硬化症患者のうち，Fontaine分類IIB度以上の症状を有し，血中総コレステロール値220 mg/dL以下，かつLDLコレステロール値 140 mg/dL以下の正コレステロール血症の者であって，膝窩動脈以下の閉塞又は広範な閉塞部位を有する等，血管内治療や血管外科的治療による血行再建が困難で，かつ従来の薬物療法では十分な効果を得られない従来治療抵抗性の閉塞性動脈硬化症患者に限定して，デキストラン硫酸カラム吸着法によるLDLアフェレシス療法を行う。本療法の治療手技は，本療法一回における血漿処理量は3～4リットルとし，血液流量50～100ml/minのうち約30%を血漿流量とするため，一回の治療時間は約2-3時間である。副作用も重篤なものはなく低血圧などであり低侵襲である。原則週1日もしくは2日の頻度で本療法を施行し，1回目開始から3ヶ月以内に1クール10回のスケジュールで施行するものとする。この1クール10回のLDLアフェレシス療法の施行が完了した時点で，プロトコル治療の完了とする。原則初回施行時のみ，入院治療とする。有効性については，（1） 足関節上腕血圧比（ABI）の変化，（2）VascuQOL（閉塞性動脈硬化症の疾患特異的なQOL評価）の変化，にて検討する。（1），（2）ともに，（LDLアフェレシス療法10回目終了後1週以内の測定値）-（LDLアフェレシス療法1回目施行前2ヶ月以内の測定値）。なお，プロトコル治療期間（10回1クール）終了3ヶ月後の測定値の変化は副次的評価項目として評価する。
47	自己心膜及び弁形成リングを用いた僧帽弁置換術	僧帽弁閉鎖不全症（感染性心内膜炎により僧帽弁両尖が破壊されているもの又は僧帽弁形成術を実施した日から起算して六ヶ月以上経過した患者（再手術の適応が認められる患者に限る。）に係るものに限る。）	外科的手術が必要な僧帽弁閉鎖不全症症例を対象に自己心膜を用いたステントレス僧帽弁置換術の有用性を検討するために主要評価項目を手術2週間後，12ヶ月後における経胸壁心エコー法評価による僧帽弁逆流（MR）の有無，副次評価項目を術後12ヶ月以内におけるイベント及び有害事象の発生の有無，とした多施設共同非盲検単群試験。予定組み込み症例は25例。本手術の概要：胸骨正中切開後，自己心膜を採取。手術室内クリーンベンチにて自己心膜弁（Normo弁）を作成。心停止下，僧帽弁を露出，弁切除。まず前後2対の脚部をマットレス縫合で乳頭筋に縫着。次に連続縫合で前尖側弁リング部分を弁輪に縫着。最後に残りのリング部（後尖側）を連続縫合。大動脈遮断解除。心拍再開。十分な血圧を確認後，人工心肺離脱，経食道エコーで弁の閉鎖状態を確認する。

番号	先進医療技術名	適応症	技術の概要
48	骨髄由来間葉系細胞による顎骨再生療法	腫瘍，顎骨骨髄炎，外傷等の疾患による広範囲の顎骨又は歯槽骨欠損（上顎にあっては連続した三分の一顎程度以上の顎骨欠損又は上顎洞若しくは鼻腔への交通が認められる顎骨欠損に限り，下顎にあっては連続した三分の一顎程度以上の歯槽骨欠損又は下顎区域切除以上の顎骨欠損に限り，歯槽骨欠損にあっては歯周疾患及び加齢による骨吸収を除く。）	顎顔面外傷，顎骨腫瘍摘出術，嚢胞摘出術等による顎骨欠損を有する患者を対象とし，MSCs を培養・分化誘導した骨髄由来間葉系細胞による骨造成を行い，その有効性及び安全性を検討する。以下の手順で臨床試験を実施する。 1. 骨髄由来間葉系細胞の調製（間葉系細胞群のみ） 2. 多血小板血漿（PRP）の調製 3. 試験製剤（対照群：PRP+ ヒトトロンビン＋塩化カルシウム＋ β -TCP，間葉系細胞群：骨髄由来間葉系細胞 +PRP+ ヒトトロンビン＋塩化カルシウム＋ β -TCP）の作製 4. 試験製剤を骨欠損又は骨移植部位に移植 5. 移植後以下の評価項目を評価する。 1）主要評価項目：十分な骨再生が得られた部位の割合 2）副次評価項目： [1] パノラマ X 線画像及び CT 画像による再生骨の高さ [2] パノラマ X 線画像及び CT 画像による再生骨量率 [3] CT 画像による CT 値の評価 [4] インプラントが埋入出来た割合 [5] 移植からインプラントの埋入が実施されるまでの期間 [6] インプラント生存率及び生存期間 [7] 動揺度 [8] 咬合力 [9] 組織学的評価 3）安全性評価項目 [1] 有害事象 [2] 口腔内感染 [3] 臨床検査値 [4] パノラマ X 線画像及び CT 画像による評価（骨形成の異常（腫瘍化等））
49	テモゾロミド用量強化療法	膠芽腫（初発時の初期治療後に再発又は増悪したものに限る。）	初回再発および増悪膠芽腫に対して，用量強化テモゾロミド療法とその再発後のベバシズマブ療法の優越性を標準治療であるベバシズマブ療法とのランダム化比較試験にて検証する。 ■ A 群（ベバシズマブ療法群） 14 日（－ 1 日～＋ 3 日以内）を 1 コースとしてベバシズマブ 10 mg/kg を day 1 に静脈内点滴 注射，中止規準に該当するまで継続する。 ■ B 群（用量強化テモゾロミド，再発後ベバシズマブ療法群） 1） 一次治療 Day1 ～ 7 テモゾロミド 120 mg/m^2/day，1 日 1 回内服投与 14 日（－ 1 日～＋ 3 日以内）を 1 コースとして最大 48 コース繰り返す。 *3 コース目に増量規準を満たした場合 150 mg/m^2/day に増量する。 2） 二次治療 ・一次治療完了後，または原病の増悪以外による一次治療中止後で，増悪を認めない場合は増悪を認めるまで無治療経過観察とする。 ・一次治療完了後，または原病の増悪以外による一次治療中止後，MRI 画像上で再発・増悪が認められた場合，二次治療としてベバシズマブ療法を行う。 ・ベバシズマブの投与方法は，A 群での治療法と同じ投与方法とする。 ・ただし，再発・増悪後の治療のため，コース開始規準は A 群とは異なる。 14 日（－ 1 日～＋ 3 日以内）を 1 コースとしてベバシズマブ 10 mg/kg を day 1 に静注する。

番号	先進医療技術名	適応症	技術の概要
50	ハイパードライヒト乾燥羊膜を用いた外科的再建術	再発翼状片（増殖組織が角膜輪部を超えるものに限る。）	翼状片は結膜の下の Tenon 嚢の線維芽細胞が異常増殖し，角膜に侵入したために起こる疾患であり，重篤になると不正乱視，矯正視力低下を引き起こす。高齢者，紫外線暴露の多い労働従事者に多く発症するが，原因は明確でなく，予防し難い疾患である。悪性ではなく進行も遅いが，若年において発症した場合には，再発する可能性がきわめて高く，再発例では外見だけでなく眼運動の制限をともなうなど患者の QOL を著しく低下させる可能性が高い。 本法では，従来利用されていた自己結膜や凍結保存羊膜に代わり，切除した再発翼状片の部位に HD 羊膜を添付し，Tenon 嚢からの再度の結合組織伸展を抑制する。すなわち，再発翼状片基部の結膜，Tenon 嚢を剥離し，強膜を露出した後，翼状片を切除する。切除部を 0.04%マイトマイシンで処理後，翼状片切除後に露出した強膜上に切除面に相応の形状に成形した HD 羊膜を添付する。この際に強膜面を羊膜間質面，結膜面を羊膜上皮面と接着するように装着する。HD 羊膜は剥離結膜上皮内に収まるように装着する。 なお，翼状片切除部位の形状に合わせた HD 羊膜を添付する点，HD 羊膜の上皮面，間質面を考慮して添付することで結合組織の再伸展を抑制する処置を施行可能である。
51	多血小板血漿を用いた難治性皮膚潰瘍の治療	褥瘡又は難治性皮膚潰瘍（美容等に係るものを除く。）	従来型保存治療において治療抵抗性かつ手術不能（または拒絶）な褥瘡を含む難治性皮膚潰瘍を対象疾患とし，2 年間で 23 例の患者に対して本治療を行う。患者本人から 1 回に最大で 10%輸血用クエン酸ナトリウム含有末梢血液 20 ～ 40mL を採血し，血液成分分離容器に注入後，遠心型血液成分採取装置で約 15 分間遠心分離して自己多血小板血漿を分取する。分取した多血小板血漿を患部（潰瘍部位）の大きさに応じた用量を塗布する。PRP 治療開始後，7 日おきに写真撮影を行い，4 回の治療終了後，創傷部の面積測定，写真撮影を行う。完全上皮化に至っていない場合，更に 4 回治療を行う。
52	mFOLFOX6 及びパクリタキセル腹腔内投与の併用療法	胃がん（腺がん及び腹膜播種であると確認されたものであって，抗悪性腫瘍剤の経口投与では治療が困難なものに限る。）	経口摂取困難な腹膜播種陽性胃癌症例を対象として，mFOLFOX6 ＋パクリタキセル腹腔内投与併用療法を施行し，有効性と安全性を評価する。28 日間を 1 コースとして，第 1 日と第 15 日にレボホリナートおよびオキサリプラチンを点滴静注した後，フルオロウラシルを急速静注し，その後，5-FU を持続静注する（mFOLFOX6 療法）。mFOLFOX6 療法と併用して，第 1，8，15 日に PTX を腹腔内投与する。 主要評価項目は 1 年全生存割合，副次的評価項目は無増悪生存期間，治療成功期間，奏効割合，腹水細胞診陰性化割合，有害事象発現状況とする。本試験には，先進医療制度下に腹腔内化学療法の臨床試験を実施中の腹腔内化学療法研究会の 15 施設が参加し，登録症例数は 34 例を予定する。
53	^{131}I-MIBG を用いた内照射療法	難治性褐色細胞腫（パラガングリオーマを含む。）	褐色細胞腫のうち，（1）初発時に原発巣の高度な局所進展を有するもの，（2）初発時に遠隔転移を有するもの，（3）外科的切除後に局所再発を来したもの，（4）外科的切除後に遠隔転移を生じたもののいずれかで，かつ外科的切除や根治的放射線外照射が不可能なものは難治性の褐色細胞腫と考えられる。本先進医療は，I-123 標識 3- ヨードベンジルグアニジン（I-123 3-iodo- benzylguanidine: ^{123}I-MIBG）集積陽性のこれら難治性褐色細胞腫（パラガングリオーマを含む）患者を対象として放射線内照射療法用薬剤である I-131 標識 3- ヨードベンジルグアニジン（131I-MIBG）を投与し，その安全性及び有効性を評価する。
54	FOLFIRINOX 療法	胆道がん（切除が不能と判断されたもの又は術後に再発したものに限る。）	本試験は，切除不能または術後再発胆道癌症例を対象として，FOLFIRINOX 療法の有効性と安全性を評価することを目的とする。14 日を 1 コースとして，投与する。本療法は腫瘍進行が確認されるか，有害事象により継続困難となるか，奏効が確認され手術を決定するまで反復する。 主要評価項目は無増悪生存期間，副次的評価項目は奏効率，全生存期間および安全性とする。本試験には 5 施設（予定）が参加し，登録症例数は 35 例を予定する。

番号	先進医療技術名	適応症	技術の概要
55	内視鏡下手術用ロボットを用いた腹腔鏡下広汎子宮全摘術	子宮頸がん（FIGO による臨床進行期分類が IB 期以上及び IIB 期以下の扁平上皮がん又は FIGO による臨床進行期分類が IA2 期以上及び IIB 期以下の腺がんであって，リンパ節転移及び腹腔内臓器に転移していないものに限る。）	手術的には他の開腹手術に比べて出血量が多く，また侵襲性の高い子宮頸癌（但し，FIGO による臨床進行期 IB 以上，IIB 以下の扁平上皮癌，あるいは臨床進行期 IA2 以上，IIB 以下の腺癌に限る，転移は認めない）の症例を対象に，ロボット支援広汎子宮全摘出術を施行し，従来の開腹術との間で有効性，安全性を比較する。（内視鏡下の子宮広範全摘術は 2015 年から先進医療 A にて試験開始となったところである）。全身麻酔・二酸化炭素気腹下に腹腔鏡を用いて広汎子宮全摘出術を行う。port の位置，本数，種類，小開腹創の位置は規定せず，「腹腔内の検索」はすべて内視鏡下で行い，「リンパ節郭清および主幹動脈の処理」,「併施手術」は原則すべてロボット支援下にて行う。 主要評価項目は無増悪生存期間，副次的評価項目は奏効率，全生存期間および安全性とする。本試験には 5 施設（予定）が参加し，登録症例数は 35 例を予定する。 術中腫瘍の進展により他臓器合併切除が必要となった場合は，ロボット支援下続行か開腹手術に移行するかは手術担当責任医の判断に委ねられ，合併切除を行った場合は切除臓器を CRF に記載する。プロトコル治療完了後は新病変が確認されるまでは後治療を行わない。ただし，術後再発リスク因子を有する症例に関しては，術後再発リスク評価（子宮頸癌の術後再発リスク分類：子宮頸癌治療ガイドライン 2011 年度版：日本婦人科腫瘍学会）にしたがって後治療を考慮する。また切除断端陽性が確認された場合又は子宮癌以外の疾患であった場合の後治療は規定しない。 予定症例数は 100 例，予定試験期間は 6.5 年（登録期間：1.5 年，追跡期間：5 年）である。
56	11C 標識メチオニンを用いたポジトロン断層撮影による診断	初発の神経膠腫が疑われるもの（生検又は手術が予定されている患者に係るものに限る。）	本研究では，炭素 11 標識メチオニンによる PET 診断が，造影 MRI への上乗せ検査として高い臨床的有用性を示すことを検証する。また，併せて有害事象，血液および生化学的変化を判断指標とし総合的に安全性を評価する。造影 MRI で造影されず Met-PET 検査陽性の部位が存在した場合は同部位から Navigation system 等を用い正確な生検部位を記録した上で生検を行う。病理診断は第 3 者による中央判定とし，腫瘍細胞「陽性」・「陰性」の判断を行う。生検部位に関しては第 3 者読影委員会により造影 MRI 陰性かつ Met-PET 検査陽性であるかを「適正」「不適正」の判断を行う。病理中央判定委員会，第 3 者読影委員会の結果を基に造影 MRI 陰性かつ Met-PET 検査陽性部位における PPV を算出し有用性を検証する。
57	自家嗅粘膜移植による脊髄再生治療	胸髄損傷（損傷後十二月以上経過してもなお下肢が完全な運動麻痺（米国脊髄損傷教会による AIS が A である患者に係るものに限る。）を呈するものに限る。）	自家嗅粘膜移植では，全身麻酔下に患者自身の鼻腔内に存在する嗅粘膜組織を内視鏡下に摘出する。そして摘出した嗅粘膜を手術室内で洗浄，細切後，脊髄損傷部位に存在する瘢痕組織を摘出して作製した移植床に直ちに移植する。嗅粘膜移植技術には，[1] 損傷高位の脊椎を安全に切削し損傷脊髄を露出する，[2] 損傷脊髄を顕微鏡下に正確に見極め瘢痕組織を切除する，[3] 採取した嗅粘膜を母床に適切に移植する技術が必要である。移植後は少なくとも 1 年間は週 35 時間程度のリハビリテーションを遂行し，軸索再生と新たに獲得された神経回路の維持の為訓練を行っていく。
58	陽子線治療	肝細胞がん（初発のものであって，肝切除術，肝移植術，エタノールの局所注入，マイクロ波凝固法又はラジオ波焼灼療法による治療が困難であり，かつ Child—Pugh 分類による点数が七点未満のものに限る。）	本治療法は，加速された粒子線の一種である陽子線を患者の腫瘍性病変に照射して治療する。投与線量は，1 回 6.6GyE，1 日 1 回，計 10 回，週 5 回，総線量 66GyE とする。許容総治療期間は 28 日間とする。線量指示については Clinical target volume（CTV）に対する D99 指示とする（CTV の 99% volume をカバーする線量，98.5 ～ 99.4%までを許容）。門脈一次分枝，門脈本幹の少なくとも 1 つと主病変との距離が 20mm 未満の場合は，1 日 1 回照射，計 22 回，週 5 回，総線量 72.6GyE（RBE=1.1）。許容総治療期間は 46 日間とする。主要評価項目は全生存期間（3 年全生存割合）である。

番号	先進医療技術名	適応症	技術の概要
			肝切除および局所療法の適応とならない肝細胞癌のうち，初発・単発・前治療無で，Child-Pugh A の肝機能を有している場合に，本邦において保険診療上選択可能な治療は TACE，ソラフェニブ，X 線による放射線治療であるが，本邦のコンセンサスに基づく肝細胞癌治療アルゴリズム 2010（日本肝臓学会編）の推奨治療は TACE 単独治療となっており，最近はさらに超選択的 TACE が主流になっている。同病態は 2000-2005 年に 1485 例が超選択的 TACE 単独治療（TACE 後２年間他治療なし）がなされ，その累積生存率は３年で 73%，５年で 52%と報告されている。これに対し，同病態の 1989-2009 年の 133 症例に対する陽子線治療の生存率は３年 82.6%，５年 63.2%である。いずれも retrospective 研究であるが，これらより陽子線治療の優位性が期待できる。 また，TACE 後の有害反応として高率に疼痛，発熱，倦怠感，食欲低下，嘔気・嘔吐，肝機能低下などの塞栓後症候群と呼ばれる症状をきたすことが知られ，対症療法で軽快するが 7-10 日程度持続し，QOL 低下や入院期間延長の原因となる。一方陽子線治療では Grade3 以上の急性期有害反応は報告されておらず，TACE の在院日数は本邦では 7-10 日程度が一般的だが陽子線治療は必ずしも入院を必要とせず，外来治療も可能である。
59	重粒子線治療	肝細胞がん（初発のものであって，肝切除術，肝移植術，エタノールの局所注入，マイクロ波凝固法又はラジオ波焼灼療法による治療が困難であり，かつＣｈｉｌｄ―Ｐｕｇｈ分類による点数が七点未満のものに限る。）	本試験では，切除不能かつ穿刺局所療法不適の肝細胞癌のうち，初発，単発，腫瘍径 12cm 以下，門脈および胆管一次分枝もしくは下大静脈への浸潤がない，肝機能が Child A の患者を対象とする。重粒子線治療は，重粒子線照射装置を用いて１日１回行う。１回 15.0Gy（RBE），合計４回，総線量 60.0Gy（RBE）（週４回法）。ただし，門脈一次分枝，門脈本幹，消化管の少なくとも１つと主病変との距離が 10mm 以下の場合は，１回 5.0Gy（RBE），合計 12 回，総線量 60.0Gy（RBE）（週４回法）の線量分割を用いることも許容する。本研究では，多施設共同臨床試験で重粒子線治療の有効性および安全性の評価を目指す。主要評価項目は３年全生存割合，副次的評価項目は，３年無増悪生存割合，３年局所無増悪生存割合，有害事象発生割合，放射線肝障害（Radiation induced liverdisease；RILD）の発生割合である。有害事象の評価基準には，「有害事象共通用語規準 ver4.03 日本語訳 JCOG/JSCO 版」を用いる。探索的解析として，EQ-5D-5L（EuroQol 5Dimension five-level）を用いた費用対効果評価，QOL 評価を行う。予定症例数は 130 例である。
60	アキシチニブ単剤投与療法	胆道がん（切除が不能と判断されたもの又は術後に再発したものであって，ゲムシタビンによる治療に対して抵抗性を有するものに限る。）	ゲムシタビンベースの化学療法が耐性となった切除不能または再発胆道癌患者（肝内胆管癌，肝外胆管癌，胆嚢癌，乳頭部癌）を対象として，分子標的治療薬アキシチニブの有効性と安全性を検討する。主要評価項目は無増悪生存期間，副次評価項目は奏効割合，全生存期間，有害事象発生割合，重篤な有害事象発生割合，血管新生に係わるバイオマーカーの発現とする。
61	重粒子線治療	非小細胞肺がん（ステージがⅠ期であって，肺の末梢に位置するものであり，かつ肺切除術が困難なものに限る。）	医用重粒子加速器および照射装置を用い，１日１回 15.0GyE，計４回，総線量 60.0GyE の重粒子線治療を行う。照射法は１日２門以上，総照射門数４門以上の呼吸同期照射，治療期間は 15 日以内とする。 有効性の評価は，主要評価指標として３年全生存割合を用いる。副次的評価指標として全生存期間中央値，全生存割合（２年），疾患特異的生存割合（２年および３年），無増悪生存割合（２年および３年），局所無増悪生存割合（２年および３年），増悪形式を用いる。また，安全性の評価は，副次的評価指標として有害事象発生割合を用いる。また，探索的評価として，医療経済評価（費用調査，QOL 調査，費用効果分析）も行う。有害事象の評価には，「National Cancer Institute-Common Terminology Criteria for Adverse Events （CTCAE version 4.0）」を用いる。

番号	先進医療技術名	適応症	技術の概要
62	切除支援のための気管支鏡下肺マーキング法	微小肺病変（肺悪性腫瘍が疑われ，又は診断のついた定型的な肺葉間以外の切離線の設定が必要なものであり，かつ，術中に同定することが困難と予測され，切除マージンの確保に注意を要するものに限る。）	本試験は，術中同定困難が予想され，切除マージンの確保に注意を要する微小肺病変を対象とする。一定の基準を満たした患者に対して手術前々日～当日の間に，気管支鏡下に青色色素・インジゴカルミンによるマーキングを肺の複数個所に施し手術に臨む。主要評価項目は，微小肺病変切除成功率（2cm 以上または腫瘍最大径以上の切除マージンを確保した切除）と定義する。副次評価項目として，マーキングの有効性，マーキング支援下で行う手術の有効性，および安全性を評価する。マーキング手技では，CT に基づきバーチャル気管支鏡を用いてマーキングに利用する気管支を事前に同定しマーキング計画を立てる。手術前々日～当日の間に，局所麻酔，軽度鎮静下に気管支鏡を施行，所定の気管支の枝に気管支鏡を誘導しカテーテルを使って色素噴霧を行う。続いて CT を撮影し実際のマーキングと病変の位置関係を確認し手術に備える。手術は原則，胸腔鏡下に行い，術式は縮小手術（部分切除または区域切除）とするが，登録後に手術方針が変わった場合や予想外の術中所見が見られた場合などは，患者に最も適切と考えられる手術・治療を施す。
63	ゲムシタビン静脈内投与及び重粒子線治療の併用療法	膵臓がん（遠隔転移しておらず，かつ，ＴＮＭ分類がＴ４のものに限る。）	治療法は，炭素イオン線治療は各実施医療機関に設置された医用重粒子加速器および照射装置を用い，１日１回 4.6Gy（RBE），合計 12 回，総線量 55.2Gy（RBE）【週４回法】を照射する。ただし，週４回以内を原則とし，週５回以上の照射は許容されない。重粒子線治療開始と同時に，ゲムシタビン（GEM）治療を開始する。GEM は１回 1000mg/m^2 を 30 分かけて点滴静注し，週１回投与を３週連続し，４週目は休薬する。有効性の評価は，主要評価指標として２年生存率を用いる。副次的評価指標として [1] 局所制御期間 [2] 無増悪生存期間を用いる。また安全性の評価としては，正常組織の照射に伴う反応を，早期（照射開始後３ヶ月以内）と，遅発性（３ヶ月以降）に分けて評価する。評価には，「NationalCancer Institute-Common Terminology Criteria for Adverse Events（version 4.0）」を用いる。本試験では，多施設共同でその治療効果および安全性の評価を目指すものである。
64	ゲムシタビン静脈内投与，ナブ－パクリタキセル静脈内投与及びパクリタキセル腹腔内投与の併用療法	腹膜播種を伴う膵臓がん	腹膜播種を伴う膵癌症例を対象として，ゲムシタビン / ナブ - パクリタキセル点滴静注 +PTX 腹腔内投与併用療法を施行し，導入相試験にて推奨投与量の決定と安全性の確認をし，探索相試験にて有効性および安全性の評価を行うことを目的とする。探索相試験の主要評価項目は全生存期間，副次評価項目は抗腫瘍効果（奏効率・病勢制御率），安全性，無増悪生存期間，投与完遂性，腹水細胞診陰性化率とし，登録症例数は導入相試験で推奨投与量に決定されたコホートを含む 35 例とする。
65	治療抵抗性の子宮頸がんに対するシスプラチンによる閉鎖循環下骨盤内非均衡灌流療法	子宮頸がん（術後に再発したものであって，同時化学放射線療法に不応かつ手術が不能なものに限る。）	一般的に化学療法は薬物最大血中濃度と薬物血中濃度－時間曲線下面積の増減が治療効果に影響を及ぼすとされている。また，抗腫瘍効果の指標として IC50（50%の割合で腫瘍が縮小するのに必要な抗がん剤濃度）が用いられている。過去に抗がん剤治療を受けた患者ではこの IC50 が治療前と比較し５～１０倍へ上昇するため治療抵抗性となる。既存の投与方法では投与可能な抗がん剤濃度に限界があり，高い抗腫瘍効果を得るための新たな抗がん剤治療システムを考案する必要性があった。本治療法は動注化学療法に体外循環を組み合わせた体外循環動注化学療法であり，骨盤内悪性腫瘍の薬剤流入路である動脈と，薬剤流出路である静脈を制御することで標的領域を閉鎖循環下に管理することで全身への抗がん剤漏出を防ぐことが可能である。このため，標的領域に対して高濃度の抗がん剤曝露が可能となり，非常に高い治療効果を得ている。また薬剤を回路上から除去するシステムが本治療技術には含まれ，抗がん剤に関連する副作用の低減を図ることが出来る。本療法は手術不能な進行がん患者においても有効性が期待できる。

番号	先進医療技術名	適応症	技術の概要
66	陽子線治療	肝内胆管がん（切除が不能と判断されたものであって，化学療法が奏効しないもの又は化学療法の実施が困難なものに限る。）	本治療法は，荷電粒子線である陽子線を腫瘍病変に照射して治療するものである。対象疾患は切除不能かつ化学療法非奏効または不耐例の肝内胆管癌患者である。照射線量は 72.6GyE/22 回であり，治療は陽子線治療単独で行う。陽子線治療終了後は3か月間隔で抗腫瘍効果，有害事象の評価，肝障害の有無を評価する。有害事象については急性期で皮膚炎，軽度の肝機能異常は多くの症例で認められるが，そのほとんどは一時的で容易に対応可能である。晩期有害事象では胆管障害，消化管潰瘍，皮膚炎，肋骨骨折の可能性があるが，その頻度はきわめて低い。
67	ヒドロキシクロロキン療法	関節リウマチ（既存の合成抗リウマチ薬による治療でＤＡＳ 28 が二・六未満を達成できないものに限る。）	ヒドロキシクロロキンはもともと抗マラリア薬として開発されたが，1950 年代から膠原病や関節リウマチに対して，本邦を除く諸外国では標準的治療薬として汎用される極めて有効性・安全性の高い薬剤である。メトトレキサート，サラゾスルファピリジンとの併用療法は生物学的製剤に匹敵する高い治療効果が大規模臨床試験で報告されていること，高額な生物学的製剤と比して約 10 分の 1 程度の安価であることから，患者面からも医療経済面からも必要性は高い。特に日本の現状では，既存の抗リウマチ薬で効果がない場合生物学的製剤が適応となるが，経済的な理由で治療を断念する患者も多く，ヒドロキシクロロキンの追加，併用は生物学的製剤導入前の有用な治療となりうる。 本試験は，慶應大学病院リウマチ内科外来通院中または入院中で，生物学的製剤治療の適応となりうる既存 DMARD 治療で寛解非達成患者を対象とし，ヒドロキシクロロキンの内服を追加併用し，24 週時有効性，安全性を当院におけるヒストリカルコントロールと比較検討する。投与量は，日本人の体格と SLE における承認用量を勘案して，欧米での添付文書上の用量 400-600mg/ 日よりも減量し，200-400mg/ 日と設定することで網膜症をはじめとする副作用回避に配慮する。
68	水素ガス吸入療法	心停止後症候群（院外における心停止後に院外又は救急外来において自己心拍が再開し，かつ，心原性心停止が推定されるものに限る。）	成人院外心停止後患者のうち，自己心拍再開後も昏睡が持続する患者を対象とし，集中治療室で 18 時間 2%水素添加酸素を人工呼吸器下に吸入する。この間，ガイドラインに準拠した集中治療を行う。主要評価項目は 90 日後神経転帰良好の割合とし，副次的評価項目は 90 日生存率，生存期間，modified Rankin Scale（mRS），GCS，および Mini-MentalState Exam （MMSE）とする。
69	ヒトＩＬ－11製剤を用いた心筋保護療法	ST 上昇型急性心筋梗塞（再灌流療法を施行する場合に限る。）	インターロイキン 11（Interleukin-11，IL-11）の再灌流傷害抑制による新しい心筋保護治療法の開発を目標として，ST 上昇型急性心筋梗塞患者を対象に，経皮的冠動脈形成術（percutaneous coronary intervention，PCI）施行前に投与するオプレルベキンのプラセボに対する心筋保護効果について用量反応関係を明らかにすることである。対象は初発の ST 上昇型急性心筋梗塞患者で，冠動脈造影検査にて TIMI flow grade が 0 ないし 1 であることを確認後，3 群（プラセボ，オプレルベキン 12.5 μg/kg あるいは 25 μg/kg 群）に割り付け，PCI 前より 3 時間かけて静脈内投与を行う。予定症例数は各群 30 例の合計 90 例。 主要評価項目は，核磁気共鳴画像（magnetic resonance imaging，MRI）で評価した Day 84 での心筋救済率，副次評価項目は，Day 7 での心筋救済率，クレアチンキナーゼの濃度曲線下面積及び MRI で評価した梗塞サイズ，心臓超音波検査及び MRI で評価した心機能，Day 7，Day 84，Day 168 の脳性ナトリウム利尿ペプチド値，6 か月間の再狭窄の有無，心不全による再入院の有無，並びに心臓死の有無，有害事象とする。
70	重粒子線治療	前立腺がん（遠隔転移しておらず，D'Amico 分類で高リスク群と診断されるものに限る。）	治療法は，重粒子線治療は各実施医療機関に設置された医用重粒子加速器および照射装置を用い，1 日 1 回 4.3GyE，2 週間で 6－8 回を原則とし合計 12 回，総線量 51.6GyE を照射する。重粒子線治療開始 3 ヶ月以上前にホルモン療法の併用を開始する。有効性の評価は，主要評価指標として 5 年生化学的非再発率を用いる。

番号	先進医療技術名	適応症	技術の概要
			副次的評価指標として[1]5年前生存率[2]5年疾患特異生存率をもちいる。また安全性の評価としては，正常組織の照射に伴う反応を，早期（照射開始後3ヶ月以内）と，遅発性（3ヶ月以降）に分けて評価する。評価には，「National Cancer Institute-Common Terminology Criteria for Adverse Events (version 4.0)」を用いる。本試験では，多施設共同でその治療効果および安全性の評価を目指すものである。
71	トラスツズマブ静脈内投与及びドセタキセル静脈内投与の併用療法	乳房外パジェット病（HER2が陽性であって，切除が困難な進行性のものであり，かつ，術後に再発したもの又は転移性のものに限る。）	切除不能な進行期乳房外パジェット病に対して，トラスツズマブ，ドセタキセル2剤を投与し，その効果と安全性を評価する。いずれも乳癌における治療と同様に21日を1クールとし，3クール時に評価する。11例を対象とした単群・オープン試験である。
72	術後のカペシタビン内服投与及びオキサリプラチン静脈内投与の併用療法 4月10日	小腸腺がん（ステージがⅠ期，Ⅱ期又はⅢ期であって，肉眼による観察及び病理学的見地から完全に切除されたと判断されるものに限る。）	治癒切除後病理学的Stage I/II/III小腸腺癌を対象に，手術単独群に対し術後化学療法群の無再発生存期間（RFS：relapse-free survival）が優位に優るかを判断する。
73	S－1内服投与並びにパクリタキセル静脈内及び腹腔内投与の併用療法 4月10日	膵臓がん（遠隔転移しておらず，かつ，腹膜転移を伴うものに限る。）	他臓器に遠隔転移のない画像上局所進行膵癌に対して審査腹腔鏡検査もしくはバイパス手術を行い，腹膜播種や腹腔洗浄（腹水）細胞診陽性を病理学的に診断する。腹腔内投与ルート作成のために，腹壁ポートを留置する治療開始後21日間を1コースとし，S-1は80mg/m^{2}を14日間内服，7日間休薬。パクリタキセルは第1，8日目に50mg/m^{2}を経静脈投与，20mg/m^{2}を腹腔内投与。1週間休薬後コースを繰り返す。プロトコールを遵守して，治療を継続する。病勢悪化，重篤な有害事象，患者の希望などのあるときにはプロトコール治療を中止もしくは終了する。試験期間中に根治切除が行われた場合，術後も当該治療を継続する。
74	S－1内服投与，シスプラチン静脈内投与及びパクリタキセル腹腔内投与の併用療法 4月10	腹膜播種を伴う初発の胃がん	本試験は，腹膜播種陽性の初発胃癌症例を対象として，S-1／シスプラチン＋パクリタキセル腹腔内投与併用療法の有効性と安全性を評価することを目的とする。35日を1コースとして，S-1 80mg/m^{2}を21日間内服，14日間休薬し，シスプラチン60mg/m^{2}を第8日目に点滴静注，パクリタキセル20mg/m^{2}を第1，8，22日目に腹腔内投与する。本療法は腫瘍進行が確認されるか，有害事象により継続困難となるまで反復する。

（厚生労働省ホームページより転載）

3 先進医療を実施している医療機関一覧

第２項先進医療技術 【先進医療Ａ】 35 種類，959 件　　　○平成 29 年４月１日現在

番号		先進医療技術名	都道府県	実施している医療機関の名称
1		高周波切除器を用いた子宮腺筋症核出術	茨城県	独立行政法人　国立病院機構　霞ヶ浦医療センター
			東京都	東京大学医学部附属病院
2		三次元形状解析による体表の形態的診断	−	−
			愛知県	藤田保健衛生大学病院
			大阪府	大阪市立総合医療センター
			東京都	独立行政法人　国立国際医療研究センター病院
3		陽子線治療	千葉県	国立がん研究センター東病院
			兵庫県	兵庫県立粒子線医療センター
			静岡県	静岡県立静岡がんセンター
			茨城県	筑波大学附属病院
			福島県	一般財団法人脳神経疾患研究所附属　南東北がん陽子線治療センター
			鹿児島県	一般財団法人メディポリス医学研究財団　メディポリス国際陽子線治療センター
			福井県	福井県立病院
			愛知県	名古屋市立西部医療センター
			北海道	北海道大学病院
			長野県	社会医療法人財団慈泉会　相澤病院
			岡山県	津山中央病院
			北海道	社会医療法人禎心会　札幌禎心会病院
4	※	骨髄細胞移植による血管新生療法	−	−
			−	−
			東京都	日本医科大学付属病院
			−	−
			−	−
			−	−
			−	−
			−	−
			京都府	京都府立医科大学附属病院
			−	−
			−	−
			−	−
			−	−
			−	−
			−	−

番号	先進医療技術名	都道府県	実施している医療機関の名称
		―	―
		―	―
		―	―
5	神経変性疾患の遺伝子診断	群馬県	国立大学法人　群馬大学医学部附属病院
		長野県	国立大学法人　信州大学医学部附属病院
		山形県	国立大学法人　山形大学医学部附属病院
		熊本県	熊本大学医学部附属病院
		千葉県	千葉大学医学部附属病院
		静岡県	浜松医科大学医学部附属病院
		東京都	順天堂大学医学部附属順天堂医院
6	重粒子線治療	千葉県	国立研究開発法人　量子科学技術研究開発機構　放射線医学総合研究所病院
		兵庫県	兵庫県立粒子線医療センター
		群馬県	国立大学法人群馬大学医学部附属病院
		佐賀県	九州国際重粒子線がん治療センター
		神奈川県	神奈川県立がんセンター
7	削除	―	―
8	抗悪性腫瘍剤治療における薬剤耐性遺伝子検査	香川県	香川大学医学部附属病院
		宮崎県	宮崎大学医学部附属病院
		宮城県	宮城県立がんセンター
		愛知県	名古屋大学医学部附属病院
		大分県	大分大学医学部附属病院
		兵庫県	神戸大学医学部附属病院
		福井県	福井大学医学部附属病院
		千葉県	千葉県がんセンター
		東京都	慶應義塾大学病院
		東京都	東京大学医学部附属病院
		沖縄県	琉球大学医学部附属病院
		熊本県	熊本大学医学部附属病院
		佐賀県	佐賀大学医学部附属病院
9	家族性アルツハイマー病の遺伝子診断	兵庫県	神戸大学医学部附属病院
		東京都	順天堂大学医学部附属順天堂医院
10	腹腔鏡下膀胱尿管逆流防止術	京都府	京都府立医科大学附属病院
		愛知県	名古屋市立大学病院
		大阪府	大阪市立総合医療センター
11	泌尿生殖器腫瘍後腹膜リンパ節転移に対する腹腔鏡下リンパ節郭清術	宮城県	東北大学病院
		愛知県	国立大学法人　名古屋大学医学部附属病院
		岡山県	川崎医科大学附属病院
		東京都	杏林大学医学部付属病院
		大阪府	大阪医科大学附属病院
		京都府	京都府立医科大学附属病院
		大阪府	地方独立行政法人大阪府立病院機構　大阪府立成人病センター
12	削除	―	―
13	削除	―	―
14	定量的ＣＴを用いた有限要素法による骨強度予測評価	―	―
		宮城県	東北大学病院
		千葉県	化学療法研究所附属病院

番号		先進医療技術名	都道府県	実施している医療機関の名称
			愛知県	独立行政法人　国立長寿医療研究センター
			神奈川県	公立大学法人　横浜市立大学附属病院
			岡山県	川崎医科大学附属病院
			神奈川県	独立行政法人　労働者健康福祉機構　関東労災病院
			千葉県	医療法人社団　新緑会　こうづ整形外科　4月10日
15		歯周外科治療におけるバイオ・リジェネレーション法	東京都	東京医科歯科大学歯学部附属病院
			北海道	北海道医療大学歯科内科クリニック
			新潟県	新潟大学医歯学総合病院
			鹿児島県	鹿児島大学病院
			東京都	日本大学歯学部付属歯科病院
			福岡県	九州歯科大学附属病院
			千葉県	東京歯科大学千葉病院
			千葉県	日本大学松戸歯学部付属病院
			神奈川県	鶴見大学歯学部附属病院
			大阪府	大阪歯科大学附属病院
			熊本県	伊東歯科口腔病院
			岐阜県	朝日大学歯学部附属病院
			東京都	東京歯科大学水道橋病院
			東京都	昭和大学歯科病院
			宮城県	東北大学病院
			福岡県	九州大学病院
			長崎県	長崎大学病院
			東京都	慶應義塾大学病院
			北海道	北海道医療大学病院
			愛知県	愛知学院大学歯学部附属病院
16	※	樹状細胞及び腫瘍抗原ペプチドを用いたがんワクチン療法	−	−
			−	−
			東京都	東京女子医科大学病院
			−	−
			−	−
			−	−
17	※	自己腫瘍・組織及び樹状細胞を用いた活性化自己リンパ球移入療法	−	−
			−	−
			−	−
			岡山県	川崎医科大学附属病院
18		EB ウイルス感染症迅速診断（リアルタイム PCR 法）	熊本県	熊本大学医学部附属病院
			−	−
			愛知県	国立大学法人　名古屋大学医学部附属病院
			静岡県	浜松医科大学医学部附属病院
			茨城県	筑波大学附属病院
			東京都	国立成育医療研究センター
			島根県	島根大学医学部附属病院
19		多焦点眼内レンズを用いた水晶体再建術	岡山県	中平眼科クリニック
			東京都	東京歯科大学水道橋病院
			福岡県	林眼科病院
			大阪府	医療法人聖明会　坪井眼科
			京都府	医療法人社団聖医会　バプテスト眼科クリニック

番号	先進医療技術名	都道府県	実施している医療機関の名称
		大阪府	医療法人コスモス会フジモト眼科
		神奈川県	安藤眼科医院小田原クリニック
		東京都	医療法人社団創樹会　大木眼科
		東京都	慶應義塾大学病院
		大阪府	医療法人　ハマダ眼科
		新潟県	山口眼科医院
		東京都	医療法人社団達洋会　杉田眼科
		大阪府	医療法人　良仁会　柴眼科医院
		徳島県	医療法人　藤田眼科
		兵庫県	医療法人社団秀明会　遠谷眼科
		愛知県	医療法人　セントラル　アイ　クリニック
		神奈川県	スカイビル眼科医院
		神奈川県	深作眼科内科リハビリ科横浜西口楠町本院
		茨城県	高田眼科
		埼玉県	医療法人社団　豊栄会　さだまつ眼科クリニック
		東京都	医療法人社団済安堂井上眼科病院
		宮崎県	宮田眼科病院
		北海道	医療法人社団江山会　江口眼科病院
		福島県	医療法人明信会　今泉西病院
		富山県	小沢眼科医院
		千葉県	医療法人社団　三敬会　忍足眼科医院
		香川県	医療法人社団　明圭会　まなべ眼科クリニック
		愛知県	名古屋アイクリニック
		北海道	医療法人社団　誠心会　誠心眼科病院
		岡山県	医療法人　眼科康誠会　岡山南眼科
		秋田県	小林眼科医院
		香川県	医療法人社団　聖モニカ会　聖母眼科医院
		福島県	医療法人明信会　今泉眼科病院
		東京都	二本松眼科病院
		福岡県	医療法人　岡眼科クリニック
		東京都	医療法人社団　誠雪会　等々力眼科
		静岡県	杉浦眼科
		北海道	医療法人社団　大橋眼科
		岡山県	医療法人　鶴馬会　高須眼科
		宮崎県	医療法人財団　シロアム会　新城眼科医院
		富山県	片山眼科医院
		神奈川県	国家公務員共済組合連合会　横浜南共済病院
		埼玉県	さけみ眼科
		愛知県	医療法人　社団同潤会　眼科杉田病院
		和歌山県	医療法人涼悠会　トメモリ眼科・形成外科
		広島県	医療法人社団　越智眼科
		静岡県	焼津こがわ眼科
		石川県	医療法人社団若林眼科　わかばやし眼科クリニック
		愛媛県	医療法人幸友会　岡本眼科クリニック
		神奈川県	大塚眼科クリニック
		茨城県	筑波大学附属病院
		広島県	医療法人社団ひかり会　木村眼科内科病院

番号	先進医療技術名	都道府県	実施している医療機関の名称
		ー	ー
		東京都	吉野眼科クリニック
		愛知県	富田眼科クリニック
		福岡県	医療法人　朔夏会　さっか眼科医院
		茨城県	松本眼科
		東京都	三田眼科クリニック
		三重県	三重県厚生農業協同組合連合会　菰野厚生病院
		京都府	医療法人千照会　千原眼科医院
		東京都	社会福祉法人　三井記念病院
		静岡県	小野眼科クリニック
		兵庫県	先端医療センター
		埼玉県	医療法人社団聖凌会　中村眼科
		高知県	医療法人　葵　田内眼科
		沖縄県	三愛眼科
		宮城県	医療法人　桑友会　佐藤裕也眼科医院
		岩手県	医療法人小笠原眼科クリニック
		愛知県	医療法人　明眼会西垣眼科医院
		神奈川県	医療法人　松鵠会　みたに眼科クリニック
		福岡県	医療法人松井医仁会　大島眼科病院
		群馬県	いその眼科
		ー	ー
		東京都	たなし中村眼科クリニック
		佐賀県	谷口眼科
		東京都	東京慈恵会医科大学附属病院
		岡山県	財団法人操風会　高畠眼科医院
		茨城県	医療法人　小沢眼科内科病院
		神奈川県	医療法人社団三穂会　満尾医院
		東京都	医療法人　泰晴会　あおば眼科クリニック
		ー	ー
		広島県	医療法人　みやた眼科
		愛知県	（医）湘山会　眼科三宅病院
		埼玉県	医療法人社団　優美会　川口あおぞら眼科
		東京都	医療法人社団　瞳好会　京王八王子　松本眼科
		埼玉県	大宮七里眼科
		ー	ー
		滋賀県	医療法人弘鳳会　おぐり眼科クリニック
		岩手県	社団医療法人ひとみ会　花巻中央眼科
		兵庫県	医療法人三栄会　ツカザキ病院
		茨城県	医療法人社団雄々会　中村眼科医院
		福島県	財団法人脳神経疾患研究所附属南東北眼科クリニック
		愛知県	医療法人　安間眼科
		栃木県	獨協医科大学病院
		神奈川県	稲村眼科クリニック
		静岡県	医療法人社団海仁　海谷眼科
		神奈川県	学校法人北里研究所　北里大学病院
		東京都	日本医科大学付属病院
		兵庫県	眼科　中橋クリニック

番号	先進医療技術名	都道府県	実施している医療機関の名称
		大阪府	小林眼科
		佐賀県	医療法人　美川眼科医院
		東京都	医療法人社団スモールサクセス　こなり眼科
		―	―
		千葉県	医療法人社団柏眼科クリニック
		大阪府	独立行政法人地域医療機能推進機構　大阪みなと中央病院
		―	―
		―	―
		鹿児島県	医療法人高倉眼科
		愛知県	独立行政法人地域医療機能推進機構　中京病院
		兵庫県	三菱神戸病院
		茨城県	医療法人赤津眼科
		富山県	真生会富山病院
		神奈川県	公立大学法人　横浜市立大学附属病院
		神奈川県	大船田園眼科
		神奈川県	医療法人社団律心会　辻眼科クリニック
		広島県	小浦眼科
		愛知県	医療法人豊潤会　松浦眼科医院
		神奈川県	おおたけ眼科つきみ野医院
		愛知県	ひらばり眼科
		神奈川県	医療法人若草会　横須賀中央眼科
		東京都	清水眼科
		埼玉県	医療法人社団彩嶋会　やながわ眼科
		東京都	医療法人社団星英会　眼科スターアイクリニック
		神奈川県	横浜市立大学附属市民総合医療センター
		神奈川県	医療法人社団久里浜眼科
		神奈川県	医療法人社団蒼風会　あおと眼科
		東京都	医療法人社団南　南眼科
		石川県	金沢医科大学病院
		愛知県	医療法人　とつか眼科
		―	―
		兵庫県	おじま眼科クリニック
		静岡県	医療法人社団杞葉会　きゅう眼科医院
		徳島県	福本眼科
		大阪府	医療法人仁志会　西眼科病院
		―	―
		―	―
		大阪府	大阪市立大学医学部附属病院
		神奈川県	医療法人沖縄徳洲会　湘南鎌倉総合病院
		東京都	財団法人聖路加国際病院
		愛媛県	医療法人住友別子病院
		埼玉県	医療法人共愛会　新越谷アイクリニック
		熊本県	医療法人優心会　眼科こがクリニック
		静岡県	吉村眼科内科医院
		広島県	みはら眼科
		兵庫県	医療法人吉徳会　あさぎり病院
		大阪府	医療法人　創夢会　むさしドリーム眼科

番号	先進医療技術名	都道府県	実施している医療機関の名称
		長野県	医療法人　おおくぼ眼科
		愛媛県	医療法人　正岡眼科
		群馬県	医療法人春光会　宮久保眼科
		東京都	順天堂大学医学部附属順天堂医院
		兵庫県	医療法人社団　和田眼科
		兵庫県	医療法人社団　松原眼科クリニック
		神奈川県	医療法人社団　光耀会　山本眼科医院
		京都府	宇治武田病院
		京都府	医療法人社団景和会　大内眼科
		京都府	京都大学医学部附属病院
		愛媛県	医療法人とりかい眼科クリニック
		北海道	医療法人社団　ささもと眼科クリニック
		京都府	京都府立医科大学附属病院
		大阪府	山岸眼科
		栃木県	医療法人圭明会原眼科病院
		栃木県	医療法人　青木眼科医院
		東京都	医療法人社団　調布眼科医院
		千葉県	柿田眼科
		―	―
		長野県	三村・渋木眼科医院
		福井県	福井赤十字病院
		大分県	医療法人　祥成会　みなと眼科クリニック
		千葉県	医療法人社団瑞光会　青木眼科
		神奈川県	あんどう眼科　向ヶ丘遊園クリニック
		大阪府	医療法人増進会　本田眼科クリニック
		―	―
		群馬県	医療法人　小林眼科クリニック　城西眼科
		―	―
		埼玉県	眼科龍雲堂医院
		愛媛県	医療法人みやもと眼科クリニック
		福岡県	さかもとひでひさ眼科
		熊本県	医療法人樹尚会　佐藤眼科・内科
		広島県	福島眼科クリニック
		―	―
		山梨県	医療法人千野眼科医院
		兵庫県	ゆう眼科クリニック
		新潟県	石田眼科医院
		群馬県	高山眼科緑町医院
		―	―
		静岡県	医療法人社団浩仁会　矢田眼科医院
		東京都	医療法人社団馨風会　徳島診療所
		―	―
		高知県	医療法人翠祥会　こまつ眼科
		茨城県	山王台病院附属眼科・内科クリニック
		埼玉県	医療法人白水会　栗原眼科病院
		千葉県	医療法人社団雅凰会　ほたるの眼科
		和歌山県	医療法人英悠会　眼科松本クリニック

番号	先進医療技術名	都道府県	実施している医療機関の名称
		大分県	医療法人清瞳会　岡田眼科医院
		千葉県	医療法人社団暢華会　安藤眼科
		神奈川県	医療法人慶恭会　鎌倉小町通り眼科
		―	―
		福岡県	荒川眼科医院
		長崎県	長崎大学病院
		栃木県	いばらき眼科クリニック
		大阪府	医療法人行岡医学研究所　行岡病院
		大阪府	やまぐち眼科
		長野県	松田眼科
		兵庫県	医療法人社団　医新会　レイ眼科クリニック
		兵庫県	医療法人社団　医新会　新見眼科
		福井県	福井県済生会病院
		大阪府	医療法人　新緑瞳会　杉田眼科クリニック
		大阪府	多根記念眼科病院
		愛知県	愛知医科大学病院
		北海道	医療法人社団　明治眼科医院
		兵庫県	医療法人社団　えの眼科クリニック
		宮城県	医療法人社団　古川中央眼科
		愛媛県	愛媛大学医学部附属病院
		愛知県	岡崎南　上地眼科クリニック
		埼玉県	生生眼科クリニック
		兵庫県	医療法人社団　渡部眼科
		大阪府	医療法人　原眼科医院
		静岡県	むらまつ眼科医院
		広島県	医療法人輝眸会　小川眼科
		山梨県	医療法人若月会　若月医院
		東京都	杏林大学医学部付属病院
		―	―
		和歌山県	坂ノ下眼科
		岐阜県	岐阜ほりお眼科
		福岡県	医療法人光咲会　吉永眼科クリニック
		福井県	齋藤眼科
		埼玉県	川越西眼科
		福島県	伊藤眼科
		東京都	医療法人社団　南青山アイクリニック　南青山アイクリニック東京
		埼玉県	医療法人社団明優会　宮原眼科医院
		奈良県	医療法人かない眼科クリニック
		広島県	みぞて眼科
		―	―
		大分県	医療法人健眼会　野田眼科
		東京都	博慈会記念総合病院
		愛知県	医療法人史正会　鍋田眼科医院
		三重県	カイバナ眼科クリニック
		青森県	たかはし眼科
		大阪府	医療法人優光会　おかもと眼科クリニック
		岐阜県	朝日大学歯学部附属病院村上記念病院

番号		先進医療技術名	都道府県	実施している医療機関の名称
			大阪府	医療法人法星会　はい眼科
			広島県	すぎもと眼科
			山口県	ふなつ眼科防府分院かわもと眼科
			奈良県	医療法人社団誠明会永田眼科
			兵庫県	カトウ眼科
			千葉県	医療法人社団桜仁会　さくらだ眼科
			愛知県	西春眼科クリニック
			大阪府	医療法人敬生会　フジモト眼科
			兵庫県	サトウ眼科
			秋田県	なべしま眼科クリニック
			東京都	医療法人社団祥正会　高砂眼科
			北海道	帯広眼科
			兵庫県	野本眼科
			東京都	酒井眼科
			岡山県	岡眼科クリニック
			―	―
			―	―
			和歌山県	日本赤十字社　和歌山医療センター
			山口県	独立行政法人国立病院機構関門医療センター
			北海道	医療法人社団　札幌かとう眼科
			―	―
			―	―
			静岡県	順天堂大学医学部附属静岡病院
			東京都	医療法人財団　信和会　阿佐ヶ谷眼科
			京都府	医療法人社団真医会　四条烏丸眼科小室クリニック
			東京都	武蔵野タワーズゆかり眼科
			岡山県	財団法人操風会高畠西眼科
			茨城県	医療法人悠生会　おかざき眼科皮膚科
			兵庫県	おおしま眼科
			秋田県	社会医療法人明和会　中通総合病院
			神奈川県	医療法人風航会シーサイド眼科茅ヶ崎
			富山県	国立大学法人富山大学附属病院
			大阪府	医療法人南眼科
			山形県	よねざわ眼科
			―	―
			―	―
			大阪府	一般財団法人住友病院
			大阪府	医療法人東和会第一東和会病院
			山口県	医療法人 広田眼科
			東京都	永本アイクリニック
			佐賀県	佐賀県医療センター好生館
			大阪府	くぼ眼科クリニック
			千葉県	さいとう眼科
			―	―
			大阪府	関西医科大学附属枚方病院
			広島県	アイビー眼科
			神奈川県	だんのうえ眼科クリニック

番号	先進医療技術名	都道府県	実施している医療機関の名称
		大阪府	医療法人太咲会　みずのや眼科
		広島県	医療法人社団　河野眼科
		広島県	医療法人　くが眼科医院
		―	―
		兵庫県	フタバ眼科
		山形県	井出眼科病院
		埼玉県	こんの眼科
		千葉県	医療法人社団藤和会加藤眼科
		愛知県	眼科冨田クリニック
		大阪府	医療法人　永井眼科
		栃木県	医療法人　志明会　みどり眼科クリニック
		―	―
		岐阜県	医療法人社団　新成会　石田眼科
		大阪府	特定医療法人美杉会　佐藤病院
		兵庫県	医療法人社団　ししだ眼科クリニック
		兵庫県	長田眼科
		沖縄県	医療法人水晶会　安里眼科おもろまち駅前
		埼玉県	医療法人社団　東飯会　東飯能眼科
		愛知県	医療法人明峰会馬嶋眼科医院
		山口県	医療法人社団　大西眼科
		―	―
		大阪府	松本眼科
		大阪府	社会医療法人　生長会　府中病院
		東京都	医療法人社団　時春会　えぎ眼科クリニック
		愛知県	ばん眼科
		兵庫県	伊田眼科クリニック
		山口県	山口大学医学部附属病院
		宮崎県	医療法人　慶明会　宮崎中央眼科病院
		岐阜県	医療法人　信光会　光華眼科医院
		愛知県	ほしの眼科
		山口県	ふなつ眼科
		大阪府	関西医科大学附属滝井病院
		栃木県	医療法人　雄三会　おおくぼ眼科
		神奈川県	横浜みなと眼科
		奈良県	王寺ステーション眼科
		愛知県	いりなか眼科クリニック
		愛知県	愛岐眼科
		東京都	桜新町せきぐち眼科
		兵庫県	医療法人社団　新長田眼科病院
		大阪府	大阪医科大学附属病院
		福岡県	医療法人秋桜会　福山眼科医院
		鹿児島県	医療法人奏和会　菅田眼科クリニック
		兵庫県	医療法人社団　西宮回生病院
		兵庫県	兵庫医科大学病院
		宮城県	医療法人　清宮眼科医院
		神奈川県	医療法人風航会　大和中央眼科
		福岡県	医療法人　望月眼科

番号	先進医療技術名	都道府県	実施している医療機関の名称
		神奈川県	総合新川橋病院
		兵庫県	柴田眼科
		鹿児島県	医療法人陽山会　井後眼科
		―	―
		東京都	国家公務員共済組合連合会　虎の門病院
		鳥取県	まつい眼科クリニック
		山形県	佐藤眼科医院
		福岡県	藤嶋眼科クリニック
		埼玉県	医療法人社団正祐会　かがやき眼科皮膚科クリニック
		佐賀県	医療法人圭生会　やまさき眼科
		栃木県	もりや眼科
		鹿児島県	医療法人恕心会　さめしま眼科
		岐阜県	倉知眼科
		岐阜県	松下眼科医院
		宮城県	医療法人永昇　野田眼科クリニック
		埼玉県	医療法人社団トータルアイケア　アイケアクリニック
		愛知県	愛岐中央眼科
		愛知県	医療法人いさな会　中京眼科
		福岡県	新井眼科医院
		千葉県	さかもと眼科
		福岡県	岡眼科天神クリニック
		神奈川県	医療法人　戸塚駅前鈴木眼科
		奈良県	きのした眼科クリニック
		大阪府	医療法人　かみづる眼科
		秋田県	おのば眼科
		東京都	地方独立行政法人　東京都健康長寿医療センター
		兵庫県	医療法人社団　さいとう眼科
		兵庫県	落合眼科医院
		神奈川県	塚原眼科医院
		岐阜県	村瀬眼科クリニック
		岩手県	医療法人愛恵会　本町石部眼科クリニック
		兵庫県	こじま眼科
		千葉県	医療法人社団博瞳会　大木眼科クリニック
		福島県	医療法人社団明誠会　小林眼科医院
		福井県	福井大学医学部附属病院
		神奈川県	医療法人社団　ライト　クイーンズ　アイクリニック
		群馬県	下之城眼科クリニック
		埼玉県	医療法人社団　順孝会　あだち眼科
		東京都	医療法人社団　慶緑会　あまきクリニック
		愛知県	浅野眼科クリニック
		宮城県	平成眼科病院
		兵庫県	伊丹中央眼科
		埼玉県	たかしまアイクリニック
		埼玉県	社会福祉法人　恩賜財団　済生会支部　埼玉県　済生会　川口総合病院
		大阪府	国家公務員共済組合連合会　大手前病院
		大阪府	はやかわ眼科
		大阪府	医療法人聖佑会　おおしま眼科クリニック

番号	先進医療技術名	都道府県	実施している医療機関の名称
		滋賀県	医療法人社団新緑会　森井眼科医院
		大阪府	社会医療法人愛仁会　高槻病院
		大阪府	互恵会　大阪回生病院
		福岡県	医療法人　前原木村眼科クリニック
		岐阜県	国民健康保険　坂下病院
		福岡県	医療法人道西会　山名眼科医院
		宮崎県	稲原眼科医院
		愛知県	松原眼科岩塚クリニック
		長野県	医療法人　間宮眼科医院
		愛知県	奥田眼科クリニック
		青森県	山崎眼科
		岩手県	医療法人泰明会　谷藤眼科医院
		愛知県	工藤眼科クリニック
		―	―
		茨城県	サトウ眼科
		埼玉県	医療法人社団実直会　川口とみた眼科
		東京都	医療法人社団実直会　冨田実アイクリニック銀座
		福岡県	医療法人　宮本眼科
		東京都	眼科　松原クリニック
		大阪府	ゆう眼科
		神奈川県	医療法人社団復明館　すずき眼科クリニック
		兵庫県	奥村眼科
		神奈川県	眼科根崎医院
		愛知県	藤田保健衛生大学病院
		鹿児島県	医療法人六幸会　田中眼科
		東京都	帝京大学医学部附属病院
		東京都	医療法人社団インフィニティメディカル　近藤眼科
		大阪府	大浦アイクリニック
		大阪府	関西医科大学香里病院
		東京都	深作眼科　六本木院
		兵庫県	せきむかい眼科クリニック
		神奈川県	聖マリアンナ医科大学病院
		兵庫県	いまだ眼科
		北海道	医療法人社団　ことに眼科クリニック
		茨城県	結城眼科
		鳥取県	ふなこし眼科ペインクリニック
		東京都	白山ながみね眼科
		福岡県	福岡県済生会八幡総合病院
		神奈川県	金沢文庫アイクリニック
		東京都	医療法人社団翔風会　町田ながほり眼科
		岐阜県	岐阜赤十字病院
		兵庫県	さくら眼科
		長野県	医療法人佳生会　裏川眼科
		鹿児島県	医療法人　こがひさお眼科クリニック
		栃木県	たかはし眼科
		山梨県	いまい眼科
		広島県	中山眼科

番号	先進医療技術名	都道府県	実施している医療機関の名称
		兵庫県	ささお眼科クリニック
		秋田県	医療法人恵杉会　スギ眼科クリニック
		大阪府	大阪掖済会病院
		大阪府	医療法人清澄会　中田眼科
		青森県	吹上眼科
		広島県	医療法人芳仁会　ひとみ眼科
		長野県	畠山眼科医院
		静岡県	医療法人社団駿明会　中村眼科医院
		大阪府	医療法人　さわだ眼科
		愛知県	すえしげ眼科
		北海道	医療法人社団玄心会　吉田眼科医院
		佐賀県	医療法人輝秀会　くらとみ眼科医院
		山梨県	医療法人アウゲン　田辺眼科
		愛知県	医療法人　内田眼科
		愛知県	医療法人　宮田眼科
		石川県	金沢赤十字病院
		広島県	医療法人社団　ハイマート眼科クリニック
		福岡県	医療法人　中森眼科医院
		北海道	眼科手術クリニック　カルナメドアイ
		三重県	名張よこやま眼科
		岐阜県	くまだ眼科クリニック
		岐阜県	医療法人徳洲会　大垣徳洲会病院
		福岡県	久留米大塩眼科クリニック
		東京都	おおはら眼科
		大阪府	医療法人明誠会　眼科高橋クリニック
		大阪府	宗教法人　在日本南プレスビテリアンミッション　淀川キリスト教病院
		大阪府	医療法人晃晴会　もりの眼科診療所
		埼玉県	医療法人　行定病院
		神奈川県	鶴見中央眼科　分院
		大阪府	医療法人慈明会　こうやま眼科
		埼玉県	医療法人早来良会　高萩さくら眼科
		岡山県	古賀眼科
		神奈川県	いせはら桜台眼科
		岐阜県	医療法人英明会　近藤眼科医院
		北海道	医療法人社団　川口眼科クリニック
		東京都	アイケアクリニック銀座院
		神奈川県	ささお眼科
		山梨県	柏木眼科クリニック
		岡山県	聖眼科クリニック
		神奈川県	菊地眼科クリニック
		北海道	医療法人社団　北広島おぎの眼科
		富山県	富山県立中央病院
		愛媛県	はなみずき眼科
		東京都	医療法人社団積徳杜　狛江眼科クリニック
		福岡県	独立行政法人　労働者健康福祉機構　九州労災病院
		佐賀県	医療法人北士会　北川眼科
		愛知県	医療法人弘鳳会　おぐり近視眼科・内科　名古屋院

番号	先進医療技術名	都道府県	実施している医療機関の名称
		神奈川県	湘南ごしょみ眼科
		兵庫県	眼科やまなか医院
		大阪府	高槻赤十字病院
		埼玉県	医療法人ひかり会　パーク病院
		富山県	ゆあさ眼科
		ー	ー
		兵庫県	医療法人社団　ほしな眼科クリニック
		三重県	四日市消化器病センター
		ー	ー
		兵庫県	よこやま眼科クリニック
		兵庫県	瞳潤会　田村眼科
		岩手県	たかはし眼科
		大阪府	医療法人敬仁会　今里胃腸病院
		愛知県	田中眼科
		ー	ー
		東京都	医療法人社団柿木会　馬詰眼科
		東京都	医療法人社団　秋山眼科医院
		山口県	医療法人　まつもと眼科
		石川県	西村眼科クリニック
		徳島県	すがい眼科
		大阪府	医療法人　大谷眼科クリニック
		大阪府	医療法人宏明会　福地眼科
		東京都	東京医科歯科大学医学部附属病院
		長野県	長野赤十字病院
		広島県	山村眼科
		愛知県	よしだ眼科
		岐阜県	ふかがや眼科
		千葉県	医療法人社団健鳳会　よつかいどう眼科
		埼玉県	医療法人社団豊栄会　ほしあい眼科
		東京都	医療法人社団公愛会　冲永眼科クリニック
		神奈川県	秦野赤十字病院
		東京都	医療法人社団　アイウェル　くみこ恋ヶ窪眼科
		東京都	医療法人社団　おはらざわ眼科
		東京都	医療法人社団幸星会　日本橋白内障クリニック
		沖縄県	外間眼科医院　崇元寺
		茨城県	社会福祉法人恩賜財団済生会支部茨城県済生会　水戸済生会総合病院
		東京都	新宿近視クリニック新宿院
		愛知県	鈴木眼科クリニック緑
		埼玉県	医療法人三愛会　三愛会総合病院
		東京都	神戸神奈川アイクリニック新宿院
		京都府	医療法人福冨士会　京都ルネス病院
		大阪府	医療法人契成会　ひのうえ眼科
		山口県	さくらだ眼科
		大阪府	医療法人社団稜歩会　神戸神奈川アイクリニック梅田院
		東京都	高井戸駅前眼科
		長野県	松本歯科大学病院
		東京都	医療法人社団健鳳会　アイクリニック神楽坂

番号		先進医療技術名	都道府県	実施している医療機関の名称
			神奈川県	きくな湯田眼科
			山口県	医療法人社団　ひろしげ眼科医院
			広島県	医療法人　みぞべ眼科
			兵庫県	かみもと眼科
			兵庫県	神戸百年記念病院
			兵庫県	やまいけ眼科
			東京都	医療法人社団ひいらぎ会　若葉台眼科
			大阪府	あい眼科クリニック
			広島県	医療法人徹慈会　堀病院
			宮城県	医療法人　前川眼科医院
			群馬県	医療法人社団孝安会　新田眼科
			大阪府	いまいずみ眼科クリニック
			奈良県	医療法人瞭彩会　さかもと眼科
			北海道	松井眼科医院
			広島県	野間眼科医院
			大阪府	市立貝塚病院
			大阪府	医療法人　岩下眼科
			大阪府	国家公務員共済組合連合会　枚方公済病院
			徳島県	医療法人　山田眼科
			愛知県	成田記念病院
			新潟県	医療法人信眼会　長岡眼科医院
			東京都	秋葉原アイクリニック
			愛知県	北名古屋眼科
			千葉県	医療法人社団聖鳥会　北林医院
			東京都	医療法人社団博陽会　おおつき眼科
			大阪府	医療法人睦会　福井眼科
			兵庫県	医療法人社団　福地眼科
			北海道	眼科西坂医院
			鹿児島県	医療法人愛里会　姶良みやもと眼科
			秋田県	のしろ眼科クリニック
			大阪府	医療法人翔洋会　平木眼科
			和歌山県	和歌山県立医科大学附属病院
			埼玉県	小川赤十字病院
			愛知県	コスモス眼科
			茨城県	医療法人　小沢眼科内科病院附属五軒町診療所
			京都府	にしじま眼科
			神奈川県	日本医科大学武蔵小杉病院
			福岡県	冨士本眼科医院
			長野県	医療法人　あおやぎ眼科
			長野県	保谷眼科
			埼玉県	しらさき眼科医院
			宮崎県	一般社団法人　藤元メディカルシステム　星井眼科医院
			茨城県	医療法人歩隆会　つくば橋本眼科
			沖縄県	ちねん眼科
			京都府	医療法人社団洛和会　洛和会音羽病院
			埼玉県	正田眼科
			－	－

番号	先進医療技術名	都道府県	実施している医療機関の名称
		大阪府	かわさき眼科クリニック
		埼玉県	よつばアイクリニック
		奈良県	かつらぎ眼科クリニック
		大阪府	いくの眼科
		沖縄県	医療法人こうぶん会　比嘉眼科病院
		東京都	品川近視クリニック　東京院
		東京都	東中野とみどころ眼科
		福岡県	医療法人孝友会　槇眼科医院
		東京都	武蔵小金井さくら眼科
		東京都	医療法人社団慶翔会　両国眼科クリニック
		千葉県	医療法人社団千輝会　我孫子おがわ眼科
		神奈川県	医療法人社団蒼風会　追浜駅前眼科
		山口県	鈴木眼科
		大阪府	なかやま眼科クリニック ４月10日
		大阪府	たかやま眼科 ４月10日
		東京都	医療法人財団　順和会　山王病院 ４月10日
		兵庫県	すやま眼科 ４月10日
		兵庫県	なかにし眼科クリニック ４月10日
		佐賀県	にった眼科医院 ４月10日
		宮崎県	医）佐々木眼科医院 ４月10日
		千葉県	医療法人社団　一武会　えのもと眼科 ４月10日
		北海道	のみやま眼科 ４月10日
		岡山県	医療法人大本眼科医院 ４月10日
		埼玉県	医療法人　視心会　えのき眼科 ４月10日
		福岡県	医療法人中武眼科クリニック ４月10日
		岐阜県	柳津あおやま眼科クリニック ４月10日
		岡山県	やまぐち眼科 ４月10日
		高知県	土佐市立土佐市民病院 ４月10日
		北海道	高柳眼科クリニック札幌 ４月10日
20	フェニルケトン尿症の遺伝子診断	大阪府	大阪市立大学医学部附属病院
21	培養細胞によるライソゾーム病の診断	大阪府	大阪市立大学医学部附属病院
22	培養細胞による脂肪酸代謝異常症又は有機酸代謝異常症の診断	島根県	島根大学医学部附属病院
23	角膜ジストロフィーの遺伝子解析	山口県	山口大学医学部附属病院
		京都府	京都府立医科大学附属病院
		大阪府	大阪大学医学部附属病院
		東京都	順天堂大学医学部附属順天堂医院
24	前眼部三次元画像解析	大阪府	大阪大学医学部附属病院
		佐賀県	伊万里眼科
		佐賀県	谷口眼科
		東京都	東邦大学医療センター大森病院
		広島県	医療法人社団ひかり会　木村眼科内科病院
		福岡県	林眼科病院
		茨城県	筑波大学附属病院
		千葉県	東京歯科大学市川総合病院
		東京都	東京歯科大学水道橋病院
		愛知県	医療法人社団同潤会　眼科杉田病院

番号	先進医療技術名	都道府県	実施している医療機関の名称
		京都府	京都府立医科大学附属病院
		三重県	医療法人　東海眼科
		愛媛県	愛媛大学医学部附属病院
		大阪府	医療法人聖明会　坪井眼科
		栃木県	獨協医科大学病院
		東京都	順天堂大学医学部附属順天堂東京江東高齢者医療センター
		福岡県	医療法人　岡眼科クリニック
		北海道	名寄市立総合病院
		茨城県	松本眼科
		福井県	福井大学医学部附属病院
		宮崎県	医療法人明和会　宮田眼科病院
		鹿児島県	医療法人明和会　鹿児島宮田眼科
		京都府	医療法人千照会　千原眼科医院
		―	―
		沖縄県	琉球大学医学部附属病院
		東京都	慶應義塾大学病院
		―	―
		茨城県	高田眼科
		東京都	東京大学医学部附属病院
		東京都	二本松眼科病院
		東京都	医療法人社団　調布眼科医院
		―	―
		富山県	真生会富山病院
		―	―
		東京都	日本大学医学部附属板橋病院
		東京都	杏林大学医学部付属病院
		広島県	広島大学病院
		神奈川県	横浜市立大学附属市民総合医療センター
		神奈川県	医療法人社団三穂会　満尾医院　眼科・内科
		兵庫県	医療法人社団吉徳会　あさぎり病院
		兵庫県	眼科　中橋クリニック
		栃木県	医療法人アイアールエス　伊野田眼科クリニック
		埼玉県	医療法人社団東光会　戸田中央総合病院
		東京都	医療法人社団達洋会　杉田眼科
		東京都	清水眼科
		東京都	東邦大学医療センター大橋病院
		―	―
		富山県	国立大学法人富山大学附属病院
		神奈川県	長後えんどう眼科
		大阪府	山岸眼科
		埼玉県	大宮七里眼科
		―	―
		大阪府	独立行政法人地域医療機能推進機構　大阪みなと中央病院
		愛知県	独立行政法人地域医療機能推進機構　中京病院
		―	―
		岐阜県	岐阜赤十字病院
		神奈川県	深作眼科内科リハビリ科横浜西口楠町本院

番号	先進医療技術名	都道府県	実施している医療機関の名称
		北海道	医療法人社団　大橋眼科
		新潟県	医療法人信眼会　長岡眼科医院
		兵庫県	おじま眼科クリニック
		埼玉県	医療法人社団　豊栄会　さだまつ眼科クリニック
		鳥取県	鳥取大学医学部附属病院
		千葉県	総合病院国保旭中央病院
		徳島県	医療法人　藤田眼科
		静岡県	医療法人社団　橘桜会　さくら眼科
		神奈川県	だんのうえ眼科クリニック
		広島県	医療法人　みやた眼科
		宮城県	医療法人　桑友会　佐藤裕也眼科医院
		東京都	聖路加国際病院
		神奈川県	神奈川北央医療生活協同組合さがみ生協病院
		広島県	医療法人　庄原眼科病院
		大阪府	一般財団法人　大阪府警察協会　大阪警察病院
		滋賀県	滋賀医科大学医学部附属病院
		東京都	藤田眼科
		愛知県	藤田保健衛生大学病院
		岡山県	医療法人博温会　川島眼科
		愛知県	医療法人　安間眼科
		千葉県	柿田眼科
		兵庫県	神戸大学医学部附属病院
		－	－
		北海道	医療法人社団江山会　江口眼科病院
		福岡県	岡眼科天神クリニック
		大阪府	独立行政法人　地域医療機能推進機構　大阪病院
		兵庫県	落合眼科医院
		熊本県	熊本大学医学部附属病院
		東京都	医療法人社団　南青山アイクリニック
		福島県	一般財団法人　脳神経疾患研究所　附属　南東北眼科クリニック
		東京都	国家公務員共済組合連合会　虎の門病院
		福井県	福井赤十字病院
		栃木県	青木眼科医院
		広島県	医療法人節和会　三好眼科
		大阪府	社会医療法人生長会　府中病院
		茨城県	サトウ眼科
		愛知県	医療法人豊田会　刈谷豊田総合病院
		東京都	東京慈恵会医科大学附属病院
		福岡県	荒川眼科医院
		兵庫県	伊田眼科クリニック
		石川県	金沢医科大学病院
		東京都	大森たなか眼科
		東京都	深作眼科　六本木院
		埼玉県	アイケアクリニック
		東京都	国立研究開発法人　国立国際医療研究センター病院
		東京都	医療法人社団済安堂　お茶の水・井上眼科クリニック
		大阪府	地方独立行政法人堺市立病院機構　堺市立総合医療センター

番号	先進医療技術名	都道府県	実施している医療機関の名称
		千葉県	医療法人社団藤和会　加藤眼科
		北海道	眼科手術クリニック　カルナメドアイ
		―	―
		―	―
		茨城県	医療法人　小沢眼科内科病院
		石川県	わかばやし眼科クリニック
		香川県	白井病院
		大阪府	医療法人創夢会　むさしドリーム眼科
		福岡県	望月眼科
		福島県	伊藤眼科
		東京都	順天堂大学医学部附属順天堂医院
		東京都	東京医科大学病院
		鹿児島県	医療法人六幸会　田中眼科
		鹿児島県	医療法人　高倉眼科
		福岡県	医療法人松井医仁会　大島眼科病院
		神奈川県	聖マリアンナ医科大学病院
		東京都	冨田実アイクリニック銀座
		神奈川県	川崎市立多摩病院
		埼玉県	医療法人社団実直会　川口とみた眼科
		東京都	医療法人社団碧明会　大沢眼科内科
		愛知県	まえだ眼科
		静岡県	眼科オガタ医院
		京都府	医療法人社団洛和会　洛和会音羽病院
		島根県	松江赤十字病院
		東京都	医療法人社団　秋山眼科医院
		愛知県	コスモス眼科
		群馬県	医療法人社団孝安会　新田眼科
		東京都	冨田実アイクリニック銀座　４月１０日
		埼玉県	医療法人アイシン　よつばアイクリニック　４月１０日
		鹿児島県	医療法人こがひさお眼科クリニック　４月１０日
		香川県	ふくだ眼科クリニック　４月１０日
		福岡県	岡眼科飯塚クリニック　４月１０日
		北海道	高柳眼科クリニック札幌　４月１０日
25	（１）急性リンパ性白血病細胞の免疫遺伝子再構成を利用した定量的ＰＣＲ法による骨髄微小残存病変（ＭＲＤ）量の測定	愛知県	愛知医科大学病院
		愛知県	独立行政法人　国立病院機構　名古屋医療センター
	（２）（他の保険医療機関に対して検体の採取以外の業務を委託して実施する保険医療機関）急性リンパ性白血病細胞の免疫遺伝子再構成を利用した定量的ＰＣＲ法による骨髄微小残存病変（ＭＲＤ）量の測定	愛知県	独立行政法人　国立病院機構　名古屋医療センター
		山形県	国立大学法人　山形大学医学部附属病院
		富山県	国立大学法人富山大学附属病院
		東京都	東京医科歯科大学医学部附属病院
		東京都	独立行政法人　国立国際医療研究センター病院
		大阪府	公益財団法人田附興風会医学研究所　北野病院
		大阪府	大阪医科大学附属病院
		和歌山県	日本赤十字社　和歌山医療センター
		宮崎県	宮崎大学医学部附属病院
		静岡県	浜松医科大学医学部附属病院

番号	先進医療技術名	都道府県	実施している医療機関の名称
		新潟県	新潟県立がんセンター新潟病院
		鳥取県	鳥取大学医学部附属病院
		大阪府	松下記念病院
		神奈川県	地方独立行政法人神奈川県立病院機構　神奈川県立こども医療センター
		東京都	東邦大学医療センター大森病院
		京都府	京都大学医学部附属病院
		高知県	高知県・高知市病院企業団立　高知医療センター
		沖縄県	琉球大学医学部附属病院
		広島県	広島赤十字・原爆病院
		秋田県	社会医療法人明和会　中通総合病院
		兵庫県	兵庫県立こども病院
		東京都	東京都立小児総合医療センター
		北海道	札幌医科大学附属病院
		群馬県	群馬県立小児医療センター
		青森県	弘前大学医学部附属病院
		大阪府	大阪市立大学医学部附属病院
		神奈川県	公立大学法人　横浜市立大学附属病院
		福井県	福井大学医学部附属病院
		神奈川県	東海大学医学部付属病院
		福島県	公立大学法人福島県立医科大学附属病院
		鹿児島県	鹿児島大学病院
		栃木県	獨協医科大学病院
		―	―
		東京都	帝京大学医学部附属病院
		愛知県	豊橋市民病院
		千葉県	千葉大学医学部附属病院
		福岡県	国家公務員共済組合連合会　浜の町病院
		滋賀県	滋賀医科大学医学部附属病院
		兵庫県	神戸大学医学部附属病院
		広島県	広島大学病院
		宮城県	東北大学病院
		千葉県	千葉県こども病院
		東京都	東京大学医学部附属病院
		兵庫県	兵庫県立塚口病院
		三重県	国立大学法人　三重大学医学部附属病院
		山口県	山口大学医学部附属病院
		京都府	京都府立医科大学附属病院
		千葉県	成田赤十字病院
		―	―
		茨城県	茨城県立こども病院
		福岡県	福岡大学病院
		大阪府	大阪赤十字病院
		福岡県	産業医科大学病院
		新潟県	新潟大学医歯学総合病院
		埼玉県	埼玉県立小児医療センター
		東京都	聖路加国際病院

番号	先進医療技術名	都道府県	実施している医療機関の名称
		北海道	社会医療法人北楡会 札幌北楡病院
		大分県	大分大学医学部附属病院
		山梨県	山梨大学医学部附属病院
		─	─
		北海道	北海道大学病院
		岡山県	公益財団法人 大原記念倉敷中央医療機構 倉敷中央病院
		群馬県	群馬大学医学部附属病院
		石川県	国立大学法人 金沢大学附属病院
		静岡県	独立行政法人静岡県立病院機構 静岡県立こども病院
		大阪府	国立大学法人 大阪大学医学部附属病院
		高知県	高知大学医学部附属病院
		埼玉県	防衛医科大学校病院
		栃木県	自治医科大学附属病院 4月10日
	（3）（(2) に規定する保険医療機関から検体の採取以外の業務を受託する保険医療機関）急性リンパ性白血病細胞の免疫遺伝子再構成を利用した定量的ＰＣＲ法による骨髄微小残存病変（ＭＲＤ）量の測定	愛知県	愛知医科大学病院
		愛知県	独立行政法人 国立病院機構 名古屋医療センター
26	最小侵襲椎体椎間板掻爬洗浄術	北海道	北海道大学病院
27	削除	─	─
28	削除	─	─
29	MEN 1遺伝子診断	大分県	財団法人野口記念会 野口病院
		東京都	日本大学医学部附属板橋病院
30	金属代替材料としてグラスファイバーで補強された高強度のコンポジットレジンを用いた三ユニットブリッジ治療	東京都	日本歯科大学附属病院
		徳島県	徳島大学病院
		大阪府	大阪歯科大学附属病院
		長崎県	国立大学法人 長崎大学病院
31	ウイルスに起因する難治性の眼感染疾患に対する迅速診断（PCR 法）	東京都	東京医科歯科大学医学部附属病院
		鳥取県	鳥取大学医学部附属病院
		大分県	大分大学医学部附属病院
		宮城県	東北大学病院
		島根県	国立大学法人 島根大学医学部附属病院
		福岡県	九州大学病院
32	細菌又は真菌に起因する難治性の眼感染疾患に対する迅速診断（PCR 法）	東京都	東京医科歯科大学医学部附属病院
		鳥取県	鳥取大学医学部附属病院
		大分県	大分大学医学部附属病院
		宮城県	東北大学病院
		島根県	国立大学法人 島根大学医学部附属病院
33	内視鏡下甲状腺悪性腫瘍手術	東京都	日本医科大学付属病院
		鹿児島県	鹿児島大学病院
		大阪府	大阪警察病院
		茨城県	筑波大学附属病院
		北海道	旭川医科大学病院
		東京都	国際医療福祉大学三田病院
34	FOLFOX6 単独療法における血中 5-FU 濃度モニタリング情報を用いた 5-FU 投与量の決定	新潟県	医療法人社団健進会 新津医療センター病院
		福井県	福井大学医学部附属病院
		愛知県	愛知医科大学病院

番号	先進医療技術名	都道府県	実施している医療機関の名称
		埼玉県	防衛医科大学校病院
		京都府	京都大学医学部附属病院
		高知県	高知大学医学部附属病院　４月１０日
35	Verigeneシステムを用いた敗血症の早期診断	－	－
36	腹腔鏡下広汎子宮全摘術	大阪府	大阪大学医学部附属病院
		北海道	市立函館病院
		大阪府	大阪医科大学附属病院
		愛知県	豊橋市民病院
		－	－
		東京都	公益財団法人がん研究会　有明病院
		石川県	石川県立中央病院
		三重県	地方独立行政法人　三重県立総合医療センター
		東京都	独立行政法人国立病院機構　東京医療センター
		神奈川県	医療法人社団三成会　新百合ケ丘総合病院
		大阪府	独立行政法人労働者健康福祉機構　大阪労災病院
		富山県	富山県立中央病院
		岡山県	倉敷成人病センター
		神奈川県	横浜市立市民病院
		神奈川県	大和市立病院
		大阪府	近畿大学医学部附属病院
		島根県	国立大学法人　島根大学医学部附属病院
		鹿児島県	鹿児島大学病院
		北海道	手稲渓仁会病院
		鳥取県	鳥取大学医学部附属病院
		広島県	地方独立行政法人広島市立病院機構　広島市立広島市民病院
		大阪府	関西医科大学附属枚方病院
		福岡県	済生会福岡総合病院
		愛知県	藤田保健衛生大学病院
		愛知県	名古屋大学医学部附属病院
		京都府	京都大学医学部附属病院
		山梨県	地方独立行政法人山梨県立病院機構　山梨県立中央病院
		石川県	国立大学法人金沢大学附属病院
		福岡県	産業医科大学病院
		福岡県	九州大学病院
		神奈川県	社会医療法人財団石心会　川崎幸病院
		長崎県	国立大学法人　長崎大学病院
		愛媛県	愛媛大学医学部附属病院
		大阪府	市立貝塚病院
		熊本県	熊本赤十字病院
		北海道	ＪＡ北海道厚生連　旭川厚生病院
		奈良県	公益財団法人　天理よろづ相談所病院
		京都府	京都第一赤十字病院
		三重県	国立大学法人　三重大学医学部附属病院
		福岡県	久留米大学病院
		新潟県	新潟大学医歯学総合病院
		静岡県	地方独立行政法人静岡県立病院機構　静岡県立総合病院　４月１０日

番号		先進医療技術名	都道府県	実施している医療機関の名称
			福岡県	独立行政法人国立病院機構小倉医療センター　4月10日
37		LDL アフェレシス療法	神奈川県	医療法人 沖縄徳洲会 湘南鎌倉総合病院
			千葉県	医療法人財団明理会　新松戸中央総合病院
			静岡県	地方独立行政法人　静岡県立総合病院
			大阪府	公益財団法人田附興風会医学研究所　北野病院
			石川県	金沢医科大学病院
			福岡県	福岡大学病院
			宮城県	東北大学病院
			岡山県	岡山大学病院
			愛知県	独立行政法人地域医療機能推進機構　中京病院
			島根県	国立大学法人　島根大学医学部附属病院
			新潟県	新潟大学医歯学総合病院
			京都府	京都大学医学部附属病院
			石川県	国立大学法人金沢大学附属病院
			愛知県	名古屋大学医学部附属病院
			愛知県	藤田保健衛生大学病院
			宮崎県	宮崎大学医学部附属病院
			東京都	日本大学医学部附属板橋病院
			大阪府	大阪市立大学医学部附属病院
			新潟県	新潟県地域医療推進機構　魚沼基幹病院
			東京都	順天堂大学医学部附属順天堂医院
			神奈川県	聖マリアンナ医科大学病院
			福井県	福井大学医学部附属病院
			高知県	高知大学医学部附属病院　4月10日
38		多項目迅速ウイルス PCR 法によるウイルス感染症の早期診断	兵庫県	社会医療法人神鋼記念会　神鋼記念病院
			東京都	東京医科歯科大学医学部附属病院
			島根県	国立大学法人　島根大学医学部附属病院
39		CYP2D6 遺伝子多型検査	東京都	東京慈恵会医科大学附属病院
40		MRI 撮影及び超音波検査融合画像に基づく前立腺針生検法	東京都	東海大学医学部付属八王子病院
			埼玉県	社会福祉法人恩賜財団済生会支部　埼玉県済生会川口総合病院

（医療機関名は適用年月日順）

※暫定的に先進医療Ａとして実施する技術
参照リンク
http://www.mhlw.go.jp/file/05-Shingikai-12401000-Hokenkyoku-Soumuka/0000148168.pdf [82KB]

○平成 29 年 4 月 1 日現在　第 3 項先進医療技術　【先進医療 B】　71 種類，839 件　4 月 10 日

番号	先進医療技術名	都道府県	実施している医療機関の名称
1	パクリタキセル腹腔内投与及び静脈内投与並びにＳ－１内服併用療法　腹膜播種又は進行性胃がん（腹水細胞診又は腹腔洗浄細胞診により遊離がん細胞を認めるものに限る。）	東京都	東京大学医学部附属病院
		新潟県	新潟県立がんセンター新潟病院
		東京都	帝京大学医学部附属病院
		大阪府	近畿大学医学部附属病院
		兵庫県	兵庫医科大学病院
		愛知県	愛知県がんセンター中央病院
		石川県	金沢大学附属病院
		鹿児島県	鹿児島大学病院
		福井県	福井大学医学部附属病院
		愛知県	名古屋大学医学部附属病院
		茨城県	茨城県立中央病院
		大阪府	地方独立行政法人大阪府立病院機構　大阪府立成人病センター
		徳島県	徳島大学病院
		東京都	東京都立多摩総合医療センター
		群馬県	群馬大学医学部附属病院
		愛知県	愛知医科大学病院
		京都府	独立行政法人国立病院機構　京都医療センター
		大阪府	大阪府立急性期・総合医療センター
		東京都	独立行政法人　国立国際医療研究センター病院
		ー	ー
		大阪府	公益財団法人田附興風会医学研究所北野病院
		大阪府	地方独立行政法人堺市立病院機構　堺市立総合医療センター
		神奈川県	労働者健康福祉機構　関東労災病院
		福岡県	国立病院機構　九州医療センター
		福岡県	国立病院機構　九州がんセンター
		東京都	東邦大学医療センター大森病院
		兵庫県	独立行政法人労働者健康安全機構　関西労災病院
		大阪府	大阪警察病院
		北海道	国家公務員共済組合連合会　斗南病院
		福島県	一般財団法人慈山会医学研究所付属坪井病院
2	経カテーテル大動脈弁植込み術　弁尖の硬化変性に起因する重度大動脈弁狭窄症（慢性維持透析を行っている患者に係るものに限る。）	大阪府	大阪大学医学部附属病院
3	パクリタキセル静脈内投与（一週間に一回投与するものに限る。）及びカルボプラチン腹腔内投与（三週間に一回投与するものに限る。）の併用療法　上皮性卵巣がん，卵管がん又は原発性腹膜がん	埼玉県	埼玉医科大学国際医療センター
		栃木県	自治医科大学附属病院
		新潟県	新潟県立がんセンター　新潟病院
		宮城県	東北大学病院
		愛媛県	独立行政法人国立病院機構　四国がんセンター
		鳥取県	鳥取市立病院
		ー	ー
		埼玉県	埼玉医科大学総合医療センター
		栃木県	地方独立行政法人　栃木県立がんセンター
		群馬県	群馬大学医学部附属病院
		神奈川県	横浜市立市民病院
		広島県	市立三次中央病院

番号	先進医療技術名	都道府県	実施している医療機関の名称
		広島県	広島県厚生農業協同組合連合会　廣島総合病院
		茨城県	筑波大学附属病院
		新潟県	新潟大学医歯学総合病院
		大阪府	市立貝塚病院
		大阪府	地方独立行政法人大阪府立病院機構　大阪府立成人病センター
		奈良県	奈良県立医科大学附属病院
		兵庫県	神戸市立医療センター中央市民病院
		沖縄県	沖縄県立中部病院
		岩手県	岩手医科大学附属病院
		東京都	公益財団法人がん研究会　有明病院
		広島県	独立行政法人国立病院機構　呉医療センター　中国がんセンター
		鹿児島県	鹿児島市立病院
		長崎県	社会福祉法人恩賜財団済生会支部 済生会長崎病院
		東京都	東京慈恵会医科大学附属病院
		千葉県	東京慈恵会医科大学附属柏病院
		東京都	東京慈恵会医科大学附属第三病院
		群馬県	群馬県立がんセンター
		東京都	昭和大学病院
		三重県	三重県立総合医療センター
		兵庫県	兵庫医科大学病院
		福岡県	独立行政法人国立病院機構九州医療センター
		山口県	山口大学医学部附属病院
		東京都	慶應義塾大学病院
		東京都	東京女子医科大学東医療センター
		神奈川県	東海大学医学部付属病院
		愛知県	愛知県がんセンター中央病院
		三重県	三重大学医学部附属病院
		大阪府	大阪医科大学附属病院
		大阪府	大阪大学医学部附属病院
		静岡県	静岡県立静岡がんセンター
		―	―
		―	―
		福井県	福井大学医学部附属病院
		京都府	京都府立医科大学附属病院
		兵庫県	兵庫県立がんセンター
		東京都	順天堂大学医学部附属順天堂医院
		兵庫県	姫路赤十字病院
		愛媛県	愛媛大学医学部附属病院
		青森県	弘前大学医学部附属病院
		神奈川県	日本医科大学武蔵小杉病院
		東京都	東京大学医学部附属病院
4	十二種類の腫瘍抗原ペプチドによるテーラーメイドのがんワクチン療法　ホルモン不応性再燃前立腺がん（ドセタキセルの投与が困難な者であって，ＨＬＡ―Ａ２４が陽性であるものに係るものに限る。）	福岡県	久留米大学病院
		青森県	弘前大学医学部附属病院
		大阪府	近畿大学医学部附属病院
		埼玉県	獨協医科大学越谷病院
		神奈川県	神奈川県立がんセンター

番号	先進医療技術名	都道府県	実施している医療機関の名称
		鹿児島県	鹿児島大学病院
		東京都	東京慈恵会医科大学附属病院
5	経胎盤的抗不整脈薬投与療法　胎児頻脈性不整脈（胎児の心拍数が毎分百八十以上で持続する心房粗動又は上室性頻拍に限る。）	大阪府	国立循環器病センター
		大阪府	大阪府立母子保健総合医療センター
		福岡県	久留米大学病院
		茨城県	筑波大学附属病院
		東京都	国立成育医療研究センター
		東京都	東邦大学医療センター大森病院
		神奈川県	神奈川県立こども医療センター
		北海道	北海道大学病院
		兵庫県	兵庫県立こども病院
		長野県	長野県立こども病院
		静岡県	静岡県立こども病院
		兵庫県	神戸市立医療センター中央市民病院
		三重県	国立大学法人　三重大学医学部附属病院
		岡山県	独立行政法人国立病院機構　岡山医療センター
		大阪府	大阪大学医学部附属病院
6	低出力体外衝撃波治療法　虚血性心疾患（薬物療法に対して抵抗性を有するものであって，経皮的冠動脈形成術又は冠動脈バイパス手術による治療が困難なものに限る。）	宮城県	東北大学病院
		石川県	石川県立中央病院
		愛知県	藤田保健衛生大学病院
		千葉県	千葉西総合病院
7	重症低血糖発作を伴うインスリン依存性糖尿病に対する脳死ドナー又は心停止ドナーからの膵島移植　重症低血糖発作を伴うインスリン依存性糖尿病	福島県	公立大学法人　福島県立医科大学附属病院
		宮城県	東北大学病院
		千葉県	国立病院機構千葉東病院
		京都府	京都大学医学部附属病院
		大阪府	大阪大学医学部附属病院
		福岡県	福岡大学病院
8	術後のホルモン療法及びS－1内服投与の併用療法　原発性乳がん（エストロゲン受容体が陽性であって，HER2が陰性のものに限る。）	京都府	京都大学医学部附属病院
		北海道	JA北海道厚生連　旭川厚生病院
		大阪府	市立貝塚病院
		大阪府	医療法人英仁会　大阪ブレストクリニック
		北海道	旭川医科大学病院
		北海道	NTT東日本札幌病院
		北海道	北海道大学病院
		福島県	北福島医療センター
		－	－
		千葉県	船橋市立医療センター
		埼玉県	地方行政法人地域医療機能推進機構　埼玉メディカルセンター
		－	－
		東京都	公益財団法人がん研究会　有明病院
		神奈川県	財団法人神奈川警友会けいゆう病院
		静岡県	静岡県立総合病院
		静岡県	浜松医療センター
		愛知県	愛知県がんセンター中央病院
		岐阜県	岐阜大学医学部附属病院
		大阪府	独立行政法人国立病院機構大阪医療センター

番号	先進医療技術名	都道府県	実施している医療機関の名称
		大阪府	地方独立行政法人大阪府立病院機構　大阪府立成人病センター
		大阪府	八尾市立病院
		広島県	独立行政法人国立病院機構　呉医療センター　中国がんセンター
		福岡県	産業医科大学病院
		長崎県	日本赤十字社　長崎原爆病院
		福島県	公立大学法人　福島県立医科大学附属病院
		愛知県	小牧市民病院
		福島県	財団法人　星総合病院
		京都府	社会福祉法人京都社会事業財団　京都桂病院
		石川県	金沢医科大学病院
		群馬県	群馬大学医学部附属病院
		大阪府	地方独立行政法人堺市立病院機構　堺市立総合医療センター
		兵庫県	神戸市立医療センター中央市民病院
		東京都	学校法人　帝京大学　帝京大学医学部附属病院
		和歌山県	日本赤十字社和歌山医療センター
		福井県	福井赤十字病院
		兵庫県	兵庫県立がんセンター
		愛知県	名古屋市立西部医療センター
		大阪府	宗教法人　在日本南プレスビテリアンミッション　淀川キリスト教病院
		滋賀県	滋賀医科大学医学部附属病院
		熊本県	熊本赤十字病院
		埼玉県	獨協医科大学越谷病院
		愛知県	名古屋大学医学部附属病院
		東京都	聖路加国際病院
		北海道	KKR 札幌医療センター
		愛知県	独立行政法人国立病院機構　名古屋医療センター
		新潟県	新潟県立がんセンター新潟病院
		福岡県	社会福祉法人恩賜財団済生会支部　福岡県済生会福岡総合病院
		兵庫県	独立行政法人労働者健康安全機構　関西労災病院
		茨城県	筑波大学附属病院
		栃木県	自治医科大学附属病院
		千葉県	千葉県がんセンター
		神奈川県	東海大学医学部付属病院
		山梨県	山梨大学医学部附属病院
		新潟県	新潟県立中央病院
		愛知県	名古屋市立大学病院
		大阪府	大阪市立大学医学部附属病院
		大阪府	公益財団法人田附興風会医学研究所　北野病院
		大阪府	大阪赤十字病院
		大阪府	財団法人大阪府警察協会　大阪警察病院
		兵庫県	医療法人社団神鋼会　神鋼病院
		奈良県	大和高田市立病院
		広島県	県立広島病院
		徳島県	徳島大学病院
		福岡県	独立行政法人国立病院機構　九州医療センター
		福岡県	独立行政法人地域医療機能推進機構　久留米総合病院

番号	先進医療技術名	都道府県	実施している医療機関の名称
		福岡県	医療法人にゅうわ会　及川病院
		長崎県	長崎大学病院
		鹿児島県	社会医療法人博愛会　相良病院
		北海道	独立行政法人国立病院機構　北海道がんセンター
		北海道	社会福祉法人函館厚生院　函館五稜郭病院
		宮城県	独立行政法人国立病院機構　仙台医療センター
		茨城県	独立行政法人国立病院機構　水戸医療センター
		千葉県	独立行政法人　国立がん研究センター東病院
		東京都	東京医科歯科大学医学部附属病院
		東京都	独立行政法人　国立がん研究センター中央病院
		東京都	杏林大学医学部付属病院
		東京都	国家公務員共済組合連合会　虎の門病院
		東京都	東京都立駒込病院
		東京都	東京都立多摩総合医療センター
		神奈川県	横浜市立市民病院
		新潟県	新潟市民病院
		長野県	国立大学法人　信州大学医学部附属病院
		石川県	金沢大学附属病院
		静岡県	独立行政法人労働者健康福祉機構　浜松労災病院
		愛知県	藤田保健衛生大学病院
		京都府	独立行政法人国立病院機構　京都医療センター
		京都府	京都第一赤十字病院
		大阪府	大阪市立総合医療センター
		兵庫県	兵庫医科大学病院
		島根県	松江赤十字病院
		広島県	地方独立行政法人広島市立病院機構　広島市立広島市民病院
		福岡県	独立行政法人国立病院機構　九州がんセンター
		福岡県	久留米大学病院
		福岡県	北九州市立医療センター
		大阪府	独立行政法人労働者健康福祉機構　大阪労災病院
		愛媛県	独立行政法人国立病院機構　四国がんセンター
		大阪府	地方独立行政法人　りんくう総合医療センター
		埼玉県	埼玉医科大学国際医療センター
		東京都	順天堂大学医学部附属順天堂医院
		神奈川県	聖マリアンナ医科大学病院
		埼玉県	埼玉県立がんセンター
		高知県	高知大学医学部附属病院
		埼玉県	医療法人社団愛友会　上尾中央総合病院
		千葉県	東京歯科大学市川総合病院
		広島県	福山市民病院
		北海道	医療法人　東札幌病院
		山形県	山形県立中央病院
		群馬県	群馬県立がんセンター
		群馬県	独立行政法人国立病院機構　高崎総合医療センター
		埼玉県	さいたま赤十字病院
		埼玉県	川口市立医療センター

番号	先進医療技術名	都道府県	実施している医療機関の名称
		千葉県	独立行政法人国立病院機構　千葉医療センター
		千葉県	医療法人鉄蕉会　亀田総合病院
		千葉県	東京女子医科大学附属八千代医療センター
		東京都	慶應義塾大学病院
		東京都	東京女子医科大学病院
		東京都	東京医科大学病院
		東京都	ＪＲ東京総合病院
		東京都	東京女子医科大学東医療センター
		石川県	石川県立中央病院
		静岡県	浜松医科大学医学部附属病院
		岐阜県	大垣市民病院
		三重県	三重大学医学部附属病院
		香川県	香川大学医学部附属病院
		―	―
		―	―
		大分県	医療法人　うえお乳腺外科
		宮崎県	医療法人ブレストピア　宮崎病院
		沖縄県	社会医療法人仁愛会　浦添総合病院
		宮城県	東北大学病院
		静岡県	静岡県立静岡がんセンター
		大阪府	大阪大学医学部附属病院
		大阪府	医療法人啓明会　相原病院
		東京都	国家公務員共済組合連合会　東京共済病院
		神奈川県	国家公務員共済組合連合会　平塚共済病院
		鹿児島県	鹿児島大学医学部・歯学部附属病院
		福岡県	福岡大学病院
		東京都	独立行政法人　国立国際医療研究センター病院
		東京都	東京医科大学八王子医療センター
		―	―
		神奈川県	横浜市立大学附属市民総合医療センター
		愛知県	愛知県がんセンター愛知病院
		京都府	京都府立医科大学附属病院
		東京都	社会福祉法人　三井記念病院
		神奈川県	神奈川県立がんセンター
		京都府	三菱京都病院
		大阪府	独立行政法人地域医療機能推進機構　大阪病院
		大阪府	社会医療法人生長会　ベルランド総合病院
		兵庫県	姫路赤十字病院
		広島県	広島大学病院
		茨城県	東京医科大学茨城医療センター
		神奈川県	聖マリアンナ医科大学横浜市西部病院
		大阪府	関西医科大学附属枚方病院
		和歌山県	和歌山県立医科大学附属病院
		福岡県	九州大学病院
		静岡県	総合病院　聖隷浜松病院
		―	―

番号	先進医療技術名	都道府県	実施している医療機関の名称
		東京都	日本医科大学付属病院
		神奈川県	学校法人北里研究所　北里大学病院
9	削除	—	—
10	培養骨髄細胞移植による骨延長術　骨系統疾患（低身長又は下肢長不等である者に係るものに限る。）	愛知県	名古屋大学医学部附属病院
11	ＮＫＴ細胞を用いた免疫療法　肺がん（小細胞肺がんを除き，切除が困難な進行性のもの又は術後に再発したものであって，化学療法が行われたものに限る。）	千葉県	千葉大学医学部附属病院
12	ペメトレキセド静脈内投与及びシスプラチン静脈内投与の併用療法　肺がん（扁平上皮肺がん及び小細胞肺がんを除き，病理学的見地から完全に切除されたと判断されるものに限る。）	静岡県	静岡県立静岡がんセンター
		—	—
		東京都	順天堂大学医学部附属順天堂医院
		東京都	東京都立駒込病院
		福岡県	独立行政法人国立病院機構九州がんセンター
		福岡県	独立行政法人国立病院機構九州医療センター
		熊本県	熊本大学医学部附属病院
		愛知県	名古屋第一赤十字病院
		埼玉県	埼玉医科大学国際医療センター
		愛知県	名古屋大学医学部附属病院
		大阪府	大阪市立大学医学部附属病院
		新潟県	新潟県立がんセンター新潟病院
		和歌山県	日本赤十字社和歌山医療センター
		宮城県	一般財団法人厚生会仙台厚生病院
		千葉県	独立行政法人国立がん研究センター東病院
		千葉県	千葉大学医学部附属病院
		東京都	国家公務員共済組合連合会　虎の門病院
		神奈川県	神奈川県立循環器呼吸器病センター
		神奈川県	横浜市立市民病院
		大阪府	近畿大学医学部附属病院
		大阪府	大阪市立総合医療センター
		岡山県	財団法人　倉敷中央病院
		山口県	独立行政法人国立病院機構山口宇部医療センター
		広島県	広島大学病院
		愛媛県	独立行政法人国立病院機構四国がんセンター
		埼玉県	埼玉県立がんセンター
		東京都	東京医科大学病院
		愛知県	国立病院機構名古屋医療センター
		京都府	京都大学医学部附属病院
		大阪府	独立行政法人国立病院機構近畿中央胸部疾患センター
		岡山県	岡山大学病院
		広島県	地方独立行政法人広島市立病院機構　広島市立広島市民病院
		兵庫県	神戸市立医療センター中央市民病院
		兵庫県	兵庫県立がんセンター
		大阪府	大阪府立呼吸器・アレルギー医療センター
		愛知県	愛知県がんセンター中央病院
		長崎県	長崎大学病院
		東京都	公益財団法人がん研究会　有明病院

番号	先進医療技術名	都道府県	実施している医療機関の名称
		長野県	信州大学医学部附属病院
		福岡県	産業医科大学病院
		大阪府	公益財団法人田附興風会医学研究所　北野病院
		岡山県	川崎医科大学附属病院
		大分県	大分大学医学部附属病院
		福岡県	九州大学病院
		鳥取県	鳥取大学医学部附属病院
		東京都	帝京大学医学部附属病院
		愛知県	名古屋第二赤十字病院
		和歌山県	和歌山県立医科大学附属病院
		岐阜県	岐阜市民病院
		神奈川県	神奈川県立病院機構　神奈川県立がんセンター
		東京都	国立研究開発法人国立がん研究センター中央病院
13	ゾレドロン酸誘導γδＴ細胞を用いた免疫療法　非小細胞肺がん（従来の治療法に抵抗性を有するものに限る。）	東京都	東京大学医学部附属病院
		東京都	慶應義塾大学病院
14	コレステロール塞栓症に対する血液浄化療法　コレステロール塞栓症	宮城県	独立行政法人地域医療機能推進機構　仙台病院
		茨城県	筑波大学附属病院
		福岡県	小倉記念病院
		三重県	三重大学医学部附属病院
		東京都	順天堂大学医学部附属順天堂医院
		富山県	富山県立中央病院
		石川県	公立松任石川中央病院
		長野県	国立大学法人　信州大学医学部附属病院
		東京都	杏林大学医学部付属病院
		島根県	島根大学医学部附属病院
		東京都	帝京大学医学部附属病院
		愛知県	藤田保健衛生大学病院
		埼玉県	自治医科大学附属さいたま医療センター
		石川県	国立大学法人金沢大学附属病院
15	削除	－	－
16	NKT 細胞を用いた免疫療法　頭頸部扁平上皮がん（診断時のステージがⅣ期であって，初回治療として計画された一連の治療後の完全奏功の判定から八週間以内の症例（当該期間内に他の治療を実施していないものに限る。）に限る。）	千葉県	千葉大学医学部附属病院
17	C 型肝炎ウイルスに起因する肝硬変に対する自己骨髄細胞投与療法　C 型肝炎ウイルスに起因する肝硬変（Child − Pugh 分類による点数が七点以上のものであって，従来の治療法（肝移植術を除く。）ではその治療に係る効果が認められないものに限る。）	山口県	山口大学医学部附属病院
18	自己口腔粘膜及び羊膜を用いた培養上皮細胞シートの移植術　スティーブンス・ジョンソン症候群，眼類天疱瘡又は熱・化学腐食に起因する難治性の角結膜疾患（角膜上皮幹細胞が疲弊することによる視力障害が生じているもの，角膜上皮が欠損しているもの又は結膜嚢が癒着しているものに限る。）	京都府	京都府立医科大学附属病院
		兵庫県	先端医療振興財団 先端医療センター

番号	先進医療技術名	都道府県	実施している医療機関の名称
19	削除	―	―
20	経皮的乳がんラジオ波焼灼療法　早期乳がん（長径が一・五センチメートル以下のものに限る。）	東京都	独立行政法人国立がん研究センター中央病院
		北海道	独立行政法人国立病院機構北海道がんセンター
		群馬県	群馬県立がんセンター
		千葉県	独立行政法人国立がん研究センター東病院
		千葉県	千葉県がんセンター
		岡山県	岡山大学病院
		広島県	地方独立行政法人広島市立病院機構　広島市立広島市民病院
		愛媛県	独立行政法人国立病院機構四国がんセンター
21	インターフェロンα皮下投与及びジドブジン経口投与の併用療法　成人Ｔ細胞白血病リンパ腫（症候を有するくすぶり型又は予後不良因子を有さない慢性型のものに限る。）	千葉県	独立行政法人国立がん研究センター東病院
		東京都	独立行政法人国立がん研究センター中央病院
		宮城県	東北大学病院
		群馬県	国立大学法人群馬大学医学部附属病院
		愛知県	独立行政法人国立病院機構　名古屋医療センター
		愛知県	名古屋大学医学部附属病院
		福岡県	国立病院機構九州医療センター
		福岡県	国立病院機構九州がんセンター
		鹿児島県	鹿児島大学病院
		沖縄県	琉球大学医学部附属病院
		愛知県	愛知県厚生農業協同組合連合会豊田厚生病院
		愛媛県	愛媛大学医学部附属病院
		熊本県	熊本大学医学部附属病院
		三重県	三重大学医学部附属病院
		京都府	京都府立医科大学附属病院
		福岡県	福岡大学病院
		鹿児島県	公益財団法人慈愛会　今村病院分院
		秋田県	秋田大学医学部附属病院
		愛知県	名古屋第二赤十字病院
		長崎県	長崎大学病院
		北海道	社会医療法人北楡会　札幌北楡病院
		愛知県	愛知県がんセンター中央病院
		長崎県	日本赤十字社　長崎原爆病院
		福井県	福井大学医学部附属病院
		愛知県	名古屋市立大学病院
		福岡県	産業医科大学病院
		佐賀県	佐賀大学医学部附属病院
		大分県	大分県立病院
		愛知県	愛知医科大学病院
		広島県	広島大学病院
		長崎県	地方独立行政法人 佐世保市総合医療センター
		静岡県	浜松医科大学医学部附属病院
		北海道	独立行政法人国立病院機構　北海道がんセンター
		兵庫県	兵庫県立がんセンター
		石川県	金沢医科大学病院
		埼玉県	埼玉医科大学総合医療センター
		東京都	NTT 東日本関東病院

番号	先進医療技術名	都道府県	実施している医療機関の名称
22	冠動脈又は末梢動脈に対するカテーテル治療におけるリーナルガードを用いた造影剤腎症の発症抑制療法　腎機能障害を有する冠動脈疾患（左室駆出率が三十パーセント以下のものを除く。）又は末梢動脈疾患	神奈川県	国家公務員共済組合連合会　横浜栄共済病院
		宮城県	一般財団法人　厚生会　仙台厚生病院
23	トレミキシンを用いた吸着式血液浄化療法　特発性肺線維症（急性増悪の場合に限る。）	東京都	日本医科大学付属病院
		神奈川県	神奈川県立循環器呼吸器病センター
24	腹腔鏡下センチネルリンパ節生検　早期胃がん	東京都	慶應義塾大学病院
		—	—
		千葉県	東京慈恵会医科大学附属柏病院
		東京都	東京慈恵会医科大学附属病院
		石川県	国立大学法人金沢大学附属病院
		石川県	金沢医科大学病院
		石川県	石川県立中央病院
		鹿児島県	鹿児島大学病院
		三重県	三重大学医学部附属病院
		埼玉県	防衛医科大学校病院
25	オクトレオチド皮下注射療法　先天性高インスリン血症（生後二週以上十二月未満の患者に係るものであって，ジアゾキサイドの経口投与では，その治療に係る効果が認められないものに限る。）	大阪府	大阪市立総合医療センター
		大阪府	公益財団法人　田附興風会　医学研究所　北野病院
		島根県	島根県立中央病院
		広島県	県立広島病院
		福岡県	九州大学病院
		千葉県	千葉県こども病院
		東京都	東京女子医科大学東医療センター
		福井県	福井大学医学部附属病院
		岡山県	岡山大学病院
		北海道	北海道大学病院
		山形県	山形大学医学部附属病院
		神奈川県	聖マリアンナ医科大学病院
		新潟県	新潟市民病院
		神奈川県	横浜市立大学附属市民総合医療センター
		静岡県	静岡県立こども病院
		滋賀県	滋賀医科大学医学部附属病院
		熊本県	熊本赤十字病院
		神奈川県	神奈川県立こども医療センター
		—	—
		秋田県	秋田大学医学部附属病院
		—	—
		京都府	日本赤十字社京都第一赤十字病院
		—	—
		和歌山県	日本赤十字社和歌山医療センター
		鳥取県	鳥取大学医学部附属病院
		愛知県	名古屋市立大学病院
		静岡県	浜松医科大学医学部附属病院
		東京都	昭和大学病院
		新潟県	新潟大学医歯学総合病院
		奈良県	奈良県立医科大学附属病院

番号	先進医療技術名	都道府県	実施している医療機関の名称
		大分県	大分県立病院
26	アルテプラーゼ静脈内投与による血栓溶解療法　急性脳梗塞（当該疾病の症状の発症時刻が明らかでない場合に限る。）	大阪府	独立行政法人国立循環器病研究センター
		北海道	社会医療法人医仁会　中村記念病院
		群馬県	公益財団法人　脳血管研究所附属美原記念病院
		東京都	国家公務員共済組合連合会　虎の門病院
		福岡県	福岡赤十字病院
		山形県	山形市立病院済生館
		新潟県	新潟市民病院
		兵庫県	神戸市民病院機構神戸市立医療センター中央市民病院
		福岡県	国立病院機構九州医療センター
		長崎県	長崎大学病院
		神奈川県	聖マリアンナ医科大学病院
		岡山県	川崎医科大学附属病院
		岡山県	川崎医科大学附属川崎病院
		福岡県	製鉄記念八幡病院
		熊本県	熊本赤十字病院
		宮城県	一般財団法人広南会　広南病院
		岐阜県	岐阜大学医学部附属病院
		兵庫県	兵庫医科大学病院
		福岡県	小倉記念病院
		東京都	順天堂大学医学部附属順天堂医院
		京都府	京都第二赤十字病院
		兵庫県	医療法人社団英明会　大西脳神経外科病院
		北海道	ＪＡ北海道厚生連　帯広厚生病院
		東京都	東京慈恵会医科大学附属病院
		徳島県	徳島大学病院
		愛知県	トヨタ記念病院
		秋田県	秋田県立脳血管研究センター
		神奈川県	昭和大学藤が丘病院
		神奈川県	東海大学医学部付属病院
		愛知県	名古屋第二赤十字病院
		東京都	日本医科大学附属病院
		千葉県	順天堂大学医学部附属浦安病院
		東京都	杏林大学医学部付属病院
		岩手県	岩手県立中央病院
		京都府	独立行政法人国立病院機構　京都医療センター
		神奈川県	北里大学病院
		佐賀県	佐賀大学医学部附属病院
		東京都	武蔵野赤十字病院
27	S-1 内服投与，オキサリプラチン静脈内投与及びパクリタキセル腹腔内投与の併用療法　腹膜播種を伴う初発の胃がん	東京都	東京大学医学部附属病院
		大阪府	近畿大学医学部附属病院
		鹿児島県	鹿児島大学病院
		群馬県	群馬大学医学部附属病院
		東京都	帝京大学医学部附属病院
		東京都	東京都立多摩総合医療センター
		神奈川県	労働者健康福祉機構関東労災病院

番号	先進医療技術名	都道府県	実施している医療機関の名称
		新潟県	新潟県立がんセンター新潟病院
		福井県	福井大学医学部附属病院
		愛知県	愛知県がんセンター中央病院
		大阪府	大阪府立急性期・総合医療センター
		大阪府	大阪府立成人病センター
		大阪府	地方独立行政法人堺市立病院機構　堺市立総合医療センター
		大阪府	公益財団法人田附興風会医学研究所　北野病院
		兵庫県	兵庫医科大学病院
		－	－
		京都府	国立病院機構　京都医療センター
		福岡県	国立病院機構　九州医療センター
		福岡県	国立病院機構　九州がんセンター
		東京都	東邦大学医療センター大森病院
		愛知県	名古屋大学医学部附属病院
		徳島県	徳島大学病院
		愛知県	愛知医科大学病院
		大阪府	大阪警察病院
		兵庫県	独立行政法人労働者健康安全機構　関西労災病院
28	放射線照射前に大量メトトレキサート療法を行った後のテモゾロミド内服投与及び放射線治療の併用療法並びにテモゾロミド内服投与の維持療法　初発の中枢神経系原発悪性リンパ腫（病理学的見地からびまん性大細胞型Ｂ細胞リンパ腫であると確認されたものであって，原発部位が大脳，小脳又は脳幹であるものに限る。）	埼玉県	埼玉医科大学国際医療センター
		東京都	独立行政法人国立がん研究センター中央病院
		山形県	山形大学医学部附属病院
		東京都	杏林大学医学部付属病院
		－	－
		東京都	慶應義塾大学病院
		静岡県	静岡県立静岡がんセンター
		熊本県	熊本大学医学部附属病院
		宮城県	東北大学病院
		新潟県	新潟大学医歯学総合病院
		大阪府	大阪府立成人病センター
		広島県	広島大学病院
		鹿児島県	鹿児島大学病院
		岩手県	岩手医科大学附属病院
		京都府	京都大学医学部附属病院
		青森県	弘前大学医学部附属病院
		東京都	東京大学医学部附属病院
		兵庫県	神戸大学医学部附属病院
		北海道	北海道大学病院
		神奈川県	北里大学病院
		福岡県	九州大学病院
		北海道	社会医療法人医仁会中村記念病院
		愛媛県	愛媛大学医学部附属病院
		神奈川県	公立大学法人　横浜市立大学附属病院
		愛知県	藤田保健衛生大学病院
		大分県	大分大学医学部附属病院
		東京都	日本大学医学部附属板橋病院
		大阪府	関西医科大学附属病院

番号	先進医療技術名	都道府県	実施している医療機関の名称
		茨城県	筑波大学附属病院
		宮崎県	宮崎大学医学部附属病院
		大阪府	大阪大学医学部附属病院
		長崎県	長崎大学病院
		千葉県	千葉大学医学部附属病院
		愛知県	名古屋大学医学部附属病院
29	FDG を用いたポジトロン断層・コンピューター断層複合撮影による不明熱の診断　不明熱（画像検査，血液検査及び尿検査により診断が困難なものに限る。）	東京都	国立国際医療研究センター病院
		宮城県	東北大学病院
		山形県	山形大学医学部附属病院
		東京都	東京医科歯科大学医学部附属病院
		神奈川県	横浜市立大学附属病院
		大阪府	大阪大学医学部附属病院
		大阪府	大阪市立大学医学部附属病院
		香川県	香川大学医学部附属病院
		栃木県	獨協医科大学病院
		東京都	慶應義塾大学病院
		東京都	東京都健康長寿医療センター
		石川県	公立松任石川中央病院
		大阪府	社会福祉法人恩賜財団大阪府済生会中津病院
		宮崎県	宮崎大学医学部附属病院
		京都府	京都大学医学部附属病院
		長崎県	長崎大学病院
		福岡県	九州大学病院
30	FDG を用いたポジトロン断層撮影によるアルツハイマー病の診断　アルツハイマー病	愛知県	独立行政法人　国立長寿医療研究センター
		大阪府	近畿大学医学部附属病院
		広島県	独立行政法人国立病院機構　広島西医療センター
		大分県	大分大学医学部附属病院
		静岡県	浜松医科大学医学部附属病院
		岡山県	川崎医科大学附属病院
		東京都	地方独立行政法人東京都健康長寿医療センター
		福岡県	産業医科大学病院
		東京都	国立研究開発法人国立精神・神経医療研究センター
		岡山県	一般財団法人操風会　岡山旭東病院
31	全身性エリテマトーデスに対する初回副腎皮質ホルモン治療におけるクロピドグレル硫酸塩，ピタバスタチンカルシウム及びトコフェロール酢酸エステル併用投与の大腿骨頭壊死発症抑制療法　全身性エリテマトーデス（初回の副腎皮質ホルモン治療を行っている者に係るものに限る。）	福岡県	九州大学病院
		東京都	慶應義塾大学病院
32	術前の TS-1 内服投与，パクリタキセル静脈内及び腹腔内投与並びに術後のパクリタキセル静脈内及び腹腔内投与の併用療法　根治切除が可能な漿膜浸潤を伴う胃がん（洗浄細胞診により，がん細胞の存在が認められないものに限る。）	大阪府	近畿大学医学部附属病院
		新潟県	新潟県立がんセンター新潟病院
		東京都	帝京大学医学部附属病院
		神奈川県	関東労災病院
		東京都	東邦大学医療センター大森病院
		福井県	福井大学医学部附属病院
		愛知県	愛知県がんセンター中央病院

番号	先進医療技術名	都道府県	実施している医療機関の名称
		京都府	国立病院機構京都医療センター
		大阪府	大阪警察病院
		大阪府	公益財団法人田附興風会医学研究所北野病院
		鹿児島県	鹿児島大学病院
		大阪府	地方独立行政法人堺市立病院機構　堺市立総合医療センター
		大阪府	市立豊中病院
		大阪府	大阪府立成人病センター
		兵庫県	独立行政法人労働者健康安全機構　関西労災病院
		愛知県	愛知医科大学病院
		―	―
		愛知県	名古屋大学医学部附属病院
33	NKT 細胞を用いた免疫療法　肺がん（小細胞肺がんを除き，ステージがⅡ A 期，Ⅱ B 期又はⅢ A 期であって，肉眼による観察及び病理学的見地から完全に切除されたと判断されるものに限る。）	愛知県	独立行政法人　国立病院機構　名古屋医療センター
		福岡県	国立病院機構九州がんセンター
		岐阜県	国立病院機構長良医療センター
		三重県	国立病院機構三重中央医療センター
		大阪府	国立病院機構大阪医療センター
		山口県	国立病院機構山口宇部医療センター
		愛媛県	国立病院機構四国がんセンター
		福岡県	国立病院機構九州医療センター
		福岡県	国立病院機構福岡病院
		福岡県	国立病院機構福岡東医療センター
		佐賀県	国立病院機構嬉野医療センター
		長崎県	国立病院機構長崎医療センター
		大分県	国立病院機構別府医療センター
		大分県	国立病院機構大分医療センター
		鹿児島県	国立病院機構南九州病院
34	ベペルミノゲンペルプラスミドによる血管新生療法　閉塞性動脈硬化症又はビュルガー病（血行再建術及び血管内治療が困難なものであって，フォンタン分類Ⅲ度又はⅣ度のものに限る。）	大阪府	大阪大学医学部附属病院
		兵庫県	神戸大学医学部附属病院
		佐賀県	佐賀大学医学部附属病院
		新潟県	新潟大学医歯学総合病院
		徳島県	徳島大学病院
		愛媛県	愛媛大学医学部附属病院
35	内視鏡下手術用ロボットを用いた腹腔鏡下胃切除術　根治切除が可能な胃がん（ステージⅠ又はⅡであって，内視鏡による検査の所見で内視鏡的胃粘膜切除術の対象とならないと判断されたものに限る。）	愛知県	藤田保健衛生大学病院
		佐賀県	佐賀大学医学部附属病院
		静岡県	静岡県立静岡がんセンター
		―	―
		千葉県	国立がん研究センター東病院
		埼玉県	埼玉県立がんセンター
		大阪府	大阪大学医学部附属病院
		新潟県	新潟市民病院
		滋賀県	大津市民病院
		栃木県	国際医療福祉大学病院
		静岡県	浜松医科大学医学部附属病院
		大阪府	地方独立行政法人大阪府立病院機構　大阪府立成人病センター
		愛媛県	愛媛大学医学部附属病院
		神奈川県	社会福祉法人恩賜財団済生会支部神奈川県　済生会横浜市東部病院

番号	先進医療技術名	都道府県	実施している医療機関の名称
		京都府	京都大学医学部附属病院
36	腹膜偽粘液腫に対する完全減量切除術における術中のマイトマイシンC腹腔内投与及び術後のフルオロウラシル腹腔内投与の併用療法　腹膜偽粘液腫（画像検査により肝転移及びリンパ節転移が認められないものであって，放射線治療を行っていないものに限る。）	東京都	国立国際医療研究センター病院
37	11C 標識メチオニンを用いたポジトロン断層撮影による再発の診断　頭頸部腫瘍（原発性若しくは転移性脳腫瘍（放射線治療を実施した日から起算して半年以上経過した患者に係るものに限る。）又は上咽頭，頭蓋骨その他脳に近接する臓器に発生する腫瘍（放射線治療を実施した日から起算して半年以上経過した患者に係るものに限る。）であり，かつ，再発が疑われるものに限る。）	北海道	北海道大学病院
		大阪府	大阪大学医学部附属病院
38	術前の S-1 内服投与，シスプラチン静脈内投与及びトラスツズマブ静脈内投与の併用療法　切除が可能な高度リンパ節転移を伴う胃がん（HER2 が陽性のものに限る。）	静岡県	静岡県立静岡がんセンター
		岐阜県	岐阜大学医学部附属病院
		兵庫県	兵庫医科大学病院
		徳島県	徳島赤十字病院
		北海道	社会福祉法人函館厚生院　函館五稜郭病院
		山形県	山形県立中央病院
		新潟県	新潟県立がんセンター新潟病院
		大阪府	近畿大学医学部附属病院
		兵庫県	兵庫県立がんセンター
		和歌山県	和歌山県立医科大学附属病院
		栃木県	地方独立行政法人栃木県立がんセンター
		神奈川県	神奈川県立がんセンター
		兵庫県	独立行政法人労働者健康安全機構　関西労災病院
		大阪府	大阪医科大学附属病院
		大阪府	市立豊中病院
		大阪府	大阪府立急性期・総合医療センター
		兵庫県	市立伊丹病院
		富山県	富山県立中央病院
		静岡県	地方独立行政法人静岡県立病院機構　静岡県立総合病院
		京都府	独立行政法人国立病院機構　京都医療センター
		大阪府	地方独立行政法人大阪府立病院機構大阪府立成人病センター
		広島県	広島大学病院
		北海道	社会医療法人　恵佑会札幌病院
		愛知県	名古屋大学医学部附属病院
		岩手県	岩手医科大学附属病院
		宮城県	独立行政法人国立病院機構　仙台医療センター
		新潟県	長岡中央綜合病院
		大阪府	関西医科大学附属病院
		広島県	地方独立行政法人広島市立病院機構　広島市立広島市民病院
		東京都	東京医科歯科大学医学部附属病院
		東京都	国立がん研究センター中央病院
		神奈川県	北里大学病院
		石川県	石川県立中央病院

番号	先進医療技術名	都道府県	実施している医療機関の名称
		愛知県	愛知県がんセンター中央病院
		大阪府	独立行政法人労働者健康安全機構　大阪労災病院
		広島県	地方独立行政法人広島市立病院機構　広島市立安佐市民病院
		埼玉県	埼玉医科大学国際医療センター
		千葉県	国立研究開発法人　国立がん研究センター東病院
		大分県	大分大学医学部附属病院
		埼玉県	埼玉県立がんセンター
		岐阜県	岐阜市民病院
		大阪府	地方独立行政法人　堺市立病院機構　堺市立総合医療センター
		大阪府	大阪大学医学部附属病院
		大阪府	独立行政法人国立病院機構　大阪医療センター
		兵庫県	神戸大学医学部附属病院
		広島県	福山市民病院
		宮城県	宮城県立がんセンター
		東京都	東京都立墨東病院
		愛媛県	独立行政法人国立病院機構　四国がんセンター
39	上肢カッティングガイド及び上肢カスタムメイドプレートを用いた上肢骨変形矯正術　骨端線障害若しくは先天奇形に起因する上肢骨（長管骨に限る。以下この号において同じ。）の変形又は上肢骨の変形治癒骨折（一上肢に二以上の骨変形を有する者に係るものを除く。）	大阪府	大阪大学医学部附属病院
		愛知県	名古屋大学医学部附属病院
40	リツキシマブ点滴注射後におけるミコフェノール酸モフェチル経口投与による寛解維持療法　特発性ネフローゼ症候群（当該疾病の症状が発症した時点における年齢が十八歳未満の患者に係るものであって，難治性頻回再発型又はステロイド依存性のものに限る。）	兵庫県	神戸大学医学部附属病院
		新潟県	新潟大学医歯学総合病院
		愛知県	名古屋第二赤十字病院
		兵庫県	兵庫県立こども病院
		和歌山県	和歌山県立医科大学附属病院
		北海道	国立病院機構　北海道医療センター
		東京都	東京都立小児総合医療センター
		東京都	国立成育医療研究センター
		－	－
		神奈川県	横浜市立大学附属市民総合医療センター
		滋賀県	滋賀医科大学医学部附属病院
		岡山県	公益財団法人　大原記念倉敷中央医療機構
		大阪府	地方独立行政法人大阪市民病院機構　大阪市立総合医療センター
		広島県	県立広島病院
		東京都	日本大学医学部附属板橋病院
		石川県	国立大学法人金沢大学附属病院
		大阪府	大阪大学医学部附属病院
		佐賀県	佐賀大学医学部附属病院
		福岡県	久留米大学病院
		福岡県	福岡市立こども病院
		宮城県	東北大学病院
		栃木県	獨協医科大学病院
		北海道	北海道大学病院
		愛知県	あいち小児保健医療総合センター
		大阪府	大阪府立母子保健総合医療センター

番号	先進医療技術名	都道府県	実施している医療機関の名称
		東京都	東京医科歯科大学医学部附属病院
		愛知県	藤田保健衛生大学病院
		大阪府	関西医科大学附属病院
41	内視鏡下手術用ロボットを用いた内視鏡下咽喉頭切除術　中咽頭がん，下咽頭がん又は喉頭がん（TNM 分類が Tis，T1 又は T2，N0 及び M0 である患者に係るものに限る。）	京都府	京都大学医学部附属病院
		東京都	東京医科大学病院
		鳥取県	鳥取大学医学部附属病院
42	ステロイドパルス療法及びリツキシマブ静脈内投与の併用療法　特発性ネフローゼ症候群（当該疾病の症状が発症した時点における年齢が十八歳未満の患者に係るものであって，難治性ステロイド抵抗性のものに限る。）	東京都	国立成育医療研究センター
43	カペシタビン内服投与，シスプラチン静脈内投与及びドセタキセル腹腔内投与の併用療法　腹膜播種を伴う初発の胃がん	東京都	東京大学医学部附属病院
		北海道	国家公務員共済組合連合会　斗南病院
		神奈川県	関東労災病院
		大阪府	地方独立行政法人堺市立病院機構　堺市立総合医療センター
		東京都	帝京大学医学部附属病院
		東京都	東京都立多摩総合医療センター
		福井県	福井大学医学部附属病院
		京都府	国立病院機構　京都医療センター
		大阪府	近畿大学医学部附属病院
		大阪府	大阪警察病院
		大阪府	公益財団法人田附興風会医学研究所　北野病院
		福岡県	国立病院機構　九州医療センター
		新潟県	新潟県立がんセンター新潟病院
		愛知県	名古屋大学医学部附属病院
		愛知県	愛知医科大学病院
		兵庫県	兵庫医科大学病院
		兵庫県	独立行政法人労働者健康安全機構　関西労災病院
		福岡県	国立病院機構　九州がんセンター
		大阪府	大阪府立急性期・総合医療センター
		大阪府	大阪府立成人病センター
		大阪府	市立豊中病院
		鹿児島県	鹿児島大学病院
		北海道	札幌医科大学附属病院
		石川県	金沢大学附属病院
		福島県	公立大学法人　福島県立医科大学附属病院
		茨城県	茨城県立中央病院
44	周術期カルペリチド静脈内投与による再発抑制療法　非小細胞肺がん（CT 撮影により非浸潤がんと診断されたものを除く。）	大阪府	大阪大学医学部附属病院
		東京都	東京大学医学部附属病院
		大阪府	国立病院機構刀根山病院
		山形県	山形大学医学部附属病院
		大阪府	大阪府立成人病センター
		山形県	山形県立中央病院
		大阪府	大阪府立呼吸器・アレルギー医療センター
		北海道	北海道大学病院

番号	先進医療技術名	都道府県	実施している医療機関の名称
		千葉県	国立研究開発法人国立がん研究センター東病院
		兵庫県	神戸大学医学部附属病院
45	コラーゲン半月板補填材を用いた半月板修復療法　半月板損傷（関節鏡検査により半月板の欠損を有すると診断された患者に係るものに限る。）	大阪府	大阪大学医学部附属病院
46	LDL アフェレシス療法　閉塞性動脈硬化症（薬物療法に抵抗性を有するものであり，かつ，血行再建術及び血管内治療が困難なものであって，フォンタン分類Ⅱ B 度以上のものに限る。）	神奈川県	横浜市立大学附属病院
47	自己心膜及び弁形成リングを用いた僧帽弁置換術　僧帽弁閉鎖不全症（感染性心内膜炎により僧帽弁両尖が破壊されているもの又は僧帽弁形成術を実施した日から起算して六ヶ月以上経過した患者（再手術の適応が認められる患者に限る。）に係るものに限る。）	東京都	日本心臓血圧研究振興会附属榊原記念病院
		京都府	京都府立医科大学附属病院
		宮城県	東北大学病院
48	骨髄由来間葉系細胞による顎骨再生療法　腫瘍，顎骨骨髄炎，外傷等の疾患による広範囲の顎骨又は歯槽骨欠損（上顎にあっては連続した三分の一顎程度以上の顎骨欠損又は上顎洞若しくは鼻腔への交通が認められる顎骨欠損に限り，下顎にあっては連続した三分の一顎程度以上の歯槽骨欠損又は下顎区域切除以上の顎骨欠損に限り，歯槽骨欠損にあっては歯周疾患及び加齢による骨吸収を除く。）	愛知県	名古屋大学医学部附属病院
49	テモゾロミド用量強化療法　膠芽腫（初発時の初期治療後に再発又は増悪したものに限る。）	東京都	杏林大学医学部付属病院
		京都府	京都大学医学部附属病院
		宮城県	東北大学病院
		東京都	慶應義塾大学病院
		東京都	国立がん研究センター中央病院
		山形県	山形大学医学部附属病院
		大阪府	地方独立行政法人大阪府立病院機構　大阪府立成人病センター
		福岡県	九州大学病院
		鹿児島県	鹿児島大学病院
		北海道	社会医療法人　医仁会　中村記念病院
		岩手県	岩手医科大学附属病院
		茨城県	筑波大学附属病院
		神奈川県	北里大学病院
		静岡県	静岡県立静岡がんセンター
		大阪府	大阪大学医学部附属病院
		広島県	広島大学病院
50	ハイパードライヒト乾燥羊膜を用いた外科的再建術　再発翼状片（増殖組織が角膜輪部を超えるものに限る。）	富山県	富山大学附属病院
51	多血小板血漿を用いた難治性皮膚潰瘍の治療　褥瘡又は難治性皮膚潰瘍（美容等に係るものを除く。）	神奈川県	聖マリアンナ医科大学病院
		石川県	金沢医科大学病院
		滋賀県	滋賀医科大学医学部附属病院
52	mFOLFOX6 及びパクリタキセル腹腔内投与の併用療法　胃がん（腺がん及び腹膜播種であると確認されたものであって，抗悪性腫瘍剤の経口投与では治療が困難なものに限る。）	東京都	東京大学医学部附属病院
		北海道	国家公務員共済組合連合会　斗南病院
		東京都	東邦大学医療センター大森病院
		新潟県	新潟県立がんセンター新潟病院

番号	先進医療技術名	都道府県	実施している医療機関の名称
		福井県	福井大学医学部附属病院
		大阪府	市立豊中病院
		大阪府	大阪警察病院
		大阪府	公益財団法人田附興風会医学研究所　北野病院
		兵庫県	兵庫医科大学病院
		兵庫県	独立行政法人労働者健康安全機構　関西労災病院
		福岡県	独立行政法人国立病院機構　九州医療センター
		茨城県	茨城県立中央病院
		栃木県	自治医科大学附属病院
		愛知県	愛知県がんセンター中央病院
		鹿児島県	鹿児島大学病院
		東京都	東京都立多摩総合医療センター
		神奈川県	関東労災病院
		大阪府	大阪府立急性期・総合医療センター
		福岡県	独立行政法人国立病院機構　九州がんセンター
		山形県	山形大学医学部附属病院
		愛知県	名古屋大学医学部附属病院
53	131I-MIBG を用いた内照射療法　難治性褐色細胞腫（パラガングリオーマを含む。）	石川県	国立大学法人金沢大学附属病院
		鹿児島県	鹿児島大学病院
		北海道	北海道大学病院
		群馬県	群馬大学医学部附属病院
54	FOLFIRINOX 療法　胆道がん（切除が不能と判断されたもの又は術後に再発したものに限る。）	東京都	東京大学医学部附属病院
55	内視鏡下手術用ロボットを用いた腹腔鏡下広汎子宮全摘術　子宮頸がん（FIGO による臨床進行期分類がⅠB 期以上及びⅡB 期以下の扁平上皮がん又は FIGO による臨床進行期分類がⅠA2 期以上及びⅡB 期以下の腺がんであって，リンパ節転移及び腹腔内臓器に転移していないものに限る。）	東京都	東京医科大学病院
		京都府	京都大学医学部附属病院
		島根県	島根大学医学部附属病院
		大阪府	近畿大学医学部附属病院
		静岡県	静岡県立総合病院
		岡山県	岡山大学病院
		青森県	弘前大学医学部附属病院
56	11C 標識メチオニンを用いたポジトロン断層撮影による診断　初発の神経膠腫が疑われるもの（生検又は手術が予定されている患者に係るものに限る。）	北海道	北海道大学病院
		大阪府	大阪大学医学部附属病院
57	自家嗅粘膜移植による脊髄再生治療　胸髄損傷（損傷後十二月以上経過してもなお下肢が完全な運動麻痺（米国脊髄損傷教会による AIS が A である患者に係るものに限る。）を呈するものに限る。）	大阪府	大阪大学医学部附属病院
58	陽子線治療　肝細胞がん（初発のものであって，肝切除術，肝移植術，エタノールの局所注入，マイクロ波凝固法又はラジオ波焼灼療法による治療が困難であり，かつ Child—Pugh 分類による点数が七点未満のものに限る。）	北海道	北海道大学病院
		千葉県	国立がん研究センター東病院
		長野県	社会医療法人財団慈泉会　相澤病院
		静岡県	静岡県立静岡がんセンター
		愛知県	名古屋市立西部医療センター
		福島県	一般財団法人脳神経疾患研究所附属　南東北がん陽子線治療センター
		茨城県	筑波大学附属病院
		福井県	福井県立病院
		兵庫県	兵庫県立粒子線医療センター

番号	先進医療技術名	都道府県	実施している医療機関の名称
		鹿児島県	一般財団法人メディポリス医学研究財団　メディポリス国際陽子線治療センター
		岡山県	津山中央病院
59	重粒子線治療　肝細胞がん（初発のものであって，肝切除術，肝移植術，エタノールの局所注入，マイクロ波凝固法又はラジオ波焼灼療法による治療が困難であり，かつChild—Pugh 分類による点数が七点未満のものに限る。）	群馬県	群馬大学医学部附属病院
		千葉県	量子科学技術研究開発機構　放射線医学総合研究所病院
		佐賀県	九州国際重粒子線がん治療センター
		兵庫県	兵庫県立粒子線医療センター
60	アキシチニブ単剤投与療法　胆道がん（切除が不能と判断されたもの又は術後に再発したものであって，ゲムシタビンによる治療に対して抵抗性を有するものに限る。）	東京都	杏林大学医学部付属病院
		神奈川県	神奈川県立がんセンター
61	重粒子線治療　非小細胞肺がん（ステージがⅠ期であって，肺の末梢に位置するものであり，かつ肺切除術が困難なものに限る。）	佐賀県	九州国際重粒子線がん治療センター
		群馬県	群馬大学医学部附属病院
		千葉県	量子科学技術研究開発機構　放射線医学総合研究所病院
		兵庫県	兵庫県立粒子線医療センター
62	切除支援のための気管支鏡下肺マーキング法　微小肺病変（肺悪性腫瘍が疑われ，又は診断のついた定型的な肺葉間以外の切離線の設定が必要なものであり，かつ，術中に同定することが困難と予測され，切除マージンの確保に注意を要するものに限る。）	東京都	東京大学医学部附属病院
		千葉県	総合病院　国保旭中央病院
		東京都	東京医科歯科大学医学部附属病院
		東京都	日本赤十字社医療センター
		東京都	聖路加国際病院
		東京都	NTT 東日本関東病院
		長野県	社会医療法人財団慈泉会　相澤病院
		岐阜県	国立病院機構　長良医療センター
		島根県	島根県立中央病院
		神奈川県	医療法人沖縄徳洲会　湘南鎌倉総合病院
		大阪府	公益財団法人田附興風会医学研究所　北野病院
		兵庫県	兵庫県立尼崎総合医療センター
		島根県	松江赤十字病院
		福岡県	産業医科大学病院
		東京都	順天堂大学医学部附属順天堂医院
		新潟県	新潟大学医歯学総合病院
63	ゲムシタビン静脈内投与及び重粒子線治療の併用療法　膵臓がん（遠隔転移しておらず，かつ，ＴＮＭ分類がＴ４のものに限る。）	千葉県	量子科学技術研究開発機構　放射線医学総合研究所病院
		群馬県	群馬大学医学部附属病院
		佐賀県	九州国際重粒子線がん治療センター
64	ゲムシタビン静脈内投与，ナブ—パクリタキセル静脈内投与及びパクリタキセル腹腔内投与の併用療法　腹膜播種を伴う膵臓がん	東京都	東京大学医学部附属病院
65	治療抵抗性の子宮頸がんに対するシスプラチンによる閉鎖循環下骨盤内非均衡灌流療法　子宮頸がん（術後に再発したものであって，同時化学放射線療法に不応かつ手術が不能なものに限る。）	東京都	日本医科大学付属病院
66	陽子線治療　肝内胆管がん（切除が不能と判断されたものであって，化学療法が奏効しないもの又は化学療法の実施が困難なものに限る。）	茨城県	筑波大学附属病院
		北海道	北海道大学病院
		福井県	福井県立病院
		長野県	社会医療法人財団慈泉会 相澤病院
		愛知県	名古屋市立西部医療センター
		兵庫県	兵庫県立粒子線医療センター

番号	先進医療技術名	都道府県	実施している医療機関の名称
		岡山県	津山中央病院
67	ヒドロキシクロロキン療法　関節リウマチ（既存の合成抗リウマチ薬による治療でＤＡＳ28が二・六未満を達成できないものに限る。）	東京都	慶應義塾大学病院
68	水素ガス吸入療法　心停止後症候群（院外における心停止後に院外又は救急外来において自己心拍が再開し，かつ，心原性心停止が推定されるものに限る。）	東京都	慶應義塾大学病院
69	ヒトＩＬ－１１製剤を用いた心筋保護療法　ＳＴ上昇型急性心筋梗塞（再灌流療法を施行する場合に限る。）	大阪府	大阪市立大学医学部附属病院
70	重粒子線治療　前立腺がん（遠隔転移しておらず，Ｄ'Ａｍｉｃｏ分類で高リスク群と診断されるものに限る。）	千葉県	量子科学技術研究開発機構 放射線医学総合研究所病院
71	トラスツズマブ静脈内投与及びドセタキセル静脈内投与の併用療法　乳房外パジェット病（HER2が陽性であって，切除が困難な進行性のものであり，かつ，術後に再発したもの又は転移性のものに限る。）	東京都	慶應義塾大学病院
72	術後のカペシタビン内服投与及びオキサリプラチン静脈内投与の併用療法　小腸腺がん（ステージがⅠ期，Ⅱ期又はⅢ期であって，肉眼による観察及び病理学的見地から完全に切除されたと判断されるものに限る。）	東京都	国立がん研究センター中央病院　４月１０日
73	Ｓ－１内服投与並びにパクリタキセル静脈内及び腹腔内投与の併用療法　膵臓がん（遠隔転移しておらず，かつ，腹膜転移を伴うものに限る。）	大阪府	関西医科大学附属病院　４月１０日
74	Ｓ－１内服投与，シスプラチン静脈内投与及びパクリタキセル腹腔内投与の併用療法　腹膜播種を伴う初発の胃がん	愛知県	名古屋大学医学部附属病院　４月１０日

（厚生労働省ホームページより転載）

日本医学出版の医療福祉関連図書

CD による心臓聴診　リピートエクササイズ

著　沢山俊民（川崎医科大学名誉教授）
◆定価（本体価格3,000円＋税）B5判 CD1枚＋解説書34頁
◆ISBN 978-4-86577-009-4

◆異常心音、過剰心音、心雑音、弁膜疾患、先天性心奇形、不整脈などの心音をリピートエクササイズできるCDと詳しい解説書。解説書には図説や「鑑別すべき類似の心音」の CD 番号も表示。
◆基本編に 24 パターン、疾患編に 39 パターン、合計 63 種類の心音を収録。
◆収録 CD 内の項目読み上げは日本語＆英語併用、目次表記は日本語＆英語＆中国語併用
◆読者対象：内科・循環器科専門医・研修医

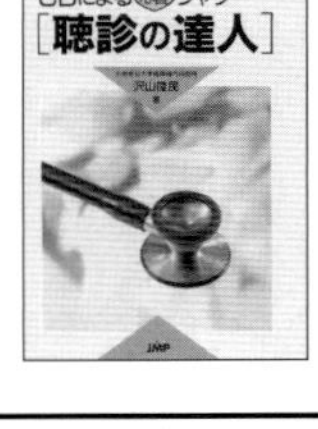
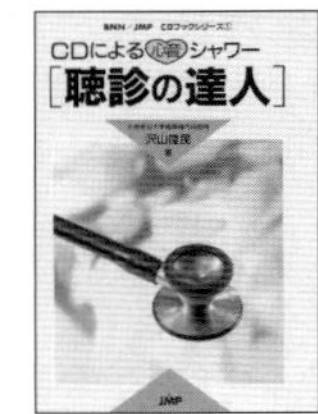

CDによる心音シャワー・聴診の達人

著者　沢山俊民　川崎医科大学名誉教授
定価　（本体3,786円＋税）
CD1枚＋解説書A5判　56頁

◆心音は基本編に 24 パターン、疾患編に 40 パターン、合計 64 種類の心音を CD に収録。
◆繰り返して聴くことで心音聴取をマスターできます！
◆ ISBN4-931419-23-2

五感診療の達人をめざして
循環器診療における問診・視診・触診・聴診

著者　沢山俊民　川崎医科大学名誉教授・さわやまクリニック院長
定価　（本体2,500円＋税）B5判　78頁　オールカラー

◆問診・視診・触診・聴診の 4 つの技を駆使して五感作法（アナログ手法）を十分生かすことによって、デジタル手法を的確に十二分に活用できるよう仕向けるための医療書である。
◆実地医家や臨床研修医が身に付ける必須の"技"である。
◆ ISBN978-4-902266-54-2

家族のためのがん患者さんとご家族をつなぐ在宅療養ガイド
がん患者さんが安心してわが家で過ごすために

編著　地域におけるがん患者の緩和ケアと療養支援情報プロジェクト
定価　（本体1,000円＋税）A5判　144頁オールカラー

◆本書は、ご家族やご友人など、周りの方向けに作成。がんを患った方が、その人らしい生活を維持しながら、自宅や施設などの身近な場所で過ごすときに役立つ情報をまとめた。
◆対象がん患者さんとそのご家族
◆ ISBN 978-4-86577-016-2

漢方事始め

著者　織部和宏　織部内科クリニック院長
定価　（本体価格2,500円＋税）A5判　138頁

◆実地医家のために漢方の考え方と実際を三部形式でわかりやすく解説。
◆第 1 部「対話・東洋医学と西洋医学の接点」
◆第 2 部「対談・漢方の実際」
◆第 3 部　筆者が各地の講演で配布し好評の「漢方処方のマニュアル」を紹介。
◆ ISBN978-4-931419-19-3

治療薬 NAVI シリーズ VOL.1
関節リウマチ治療における生物学的製剤の選択と適正使用

編集　田中良哉　産業医科大学第一内科学講座教授
定価（本体価格3,000円＋税）B5判　150頁

◆生物学的製剤―選択と適正使用の実際 / 関節リウマチ治療における各種生物学的製剤の基礎知識 / 関節リウマチにおける生物学的製剤と他の薬剤との併用 / 関節リウマチにおける生物学的製剤処方事例
◆読者対象：リウマチを診療される実地医家
◆ ISBN 978-4-86577-003-2

臨床医のための抗生物質Q＆A　改訂第3版

監修　原　まさ子　東京女子医科大学教授
著者　飯国　弥生　東京女子医科大学非常勤講師
定価　（本体2,600円＋税）A5判　108頁

◆実地医家にとって、抗生物質をいかに使用するかがその抗生物質の最大効果と寿命を決める。日常診療における抗生物質の知識や使い方に関する疑問を 43 の Q&A でポイントを実践的に解説。付録に抗生物質一覧を付けた。
◆高原病性鳥インフルエンザなどのトピックスを 17 のメモで取り上げた。
◆ ISBN978-4-902266-32-0

実践リウマチ診療学　リウマチクリニックにおける技とコツ

著　織部元廣　織部リウマチ科内科クリニック院長　第29回日本臨床リウマチ学会会長
定価　（本体価格3,600円＋税）B5判　156頁　口絵カラー4頁

◆開業 9 年目で 9000 人にも及ぶ関節リウマチ患者の診療実績から「如何にリウマチ診療を行っていくか」について、痛みを攻略する / 関節症状を認めるリウマチ性疾患 / 関節リウマチの診断と治療・生物学的製剤など / 関節リウマチのケア治療 / 関節リウマチと感染 / 関節リウマチの性差、特に男性関節リウマチの特性 / 関節リウマチ特有のケア / 生物学的製剤投与下の患者管理 / うまくいった秘伝の治療、など
◆ ISBN 978-4-86577-001-8

生物学的製剤による難病の治療革命
関節リウマチ治療のブレークスルーから疾患全領域の治療の新展開へ

編集　田中良哉　産業医科大学医学部第一内科学教授
◆（本体価格2,800円＋税）B5判　154頁

◆生物学的製剤による治療革命は、自己免疫疾患、悪性腫瘍、移植拒絶に留まらず、炎症性腸疾患、多発性硬化症などの神経疾患、天疱瘡、乾癬などの皮膚疾患、ベーチェット病眼病変、小児疾患などの多様な難病へも誘導され、各領域で治療のブレークスルーを引き起こす勢いである。
◆本書では、生物学的製剤の領域の斯界の先生方にご執筆戴き、病態と治療の新しい考え方、新規治療導入の実際、今後の新展開に至るまでをまとめた。
◆関節リウマチをはじめ、多様な難病の治療や研究にあたる専門医、研究者に必読の書。
◆ ISBN 978-4-902266-43-6

関節リウマチ診療の現場
DMARDs から生物学的製剤まで：新たなる包括的治療戦略

著　織部元廣　織部リウマチ科内科クリニック院長　第43回九州リウマチ学会会長
定価　（本体価格4,000円＋税）B5判　188頁

◆第一線の臨床医である著者の 35 年間の関節リウマチ診療で得た知識と経験をもとに DMARDs から生物学的製剤までの薬物療法を中心にリウマチレスキューの手技・免疫・診断・検査・感染症等について写真や図表を多用し「関節リウマチ診療のすべて」を 1 冊にまとめた。
◆読者対象：リウマチ診療に携わる医師
◆ ISBN 978-4-902266-63-4

透析室検査マニュアル
診療ガイドラインと話題の医薬品

編著　丹羽利充　名古屋大学大学院医学系研究科尿毒症病態代謝学教授
定価　（本体価格2,800円＋税）A5判　186頁

◆透析患者の病態を把握し的確な薬物治療、透析、看護、生活指導を行うには血液からの検査データの正確な解釈が必要である。また、診療ガイドラインと話題の医薬品についてもまとめた。
◆対象読者は透析医療に従事する透析室メディカルスタッフ。
◆ ISBN978-4-902266-31-3

あきらめないで！関節リウマチ　最新版

著　松野　博明　松野リウマチ整形外科院長
定価（本体価格1,200円＋税）A5判　122頁

◆あきらめないで下さい！リウマチ治療は完治に希望を託せる時代へ！進化するリウマチ治療の最新情報を掲載！「リウマチ入門」「リウマチの投薬治療」「生物学的製剤」「手術」「妊娠から出産」「助成制度」などをリウマチ専門医がわかりやすく解説。
◆【対象】リウマチ患者さん、家族、医療スタッフ。
◆ ISBN978-4-86577-005-6

アメリカで透析と腎移植に生涯を捧ぐ

著　中元　覚　クリーブランド・クリニック腎臓内科名誉スタッフ
定価　（本体価格1,800円＋税）A5判　334頁

◆クリーブランド・クリニックで透析と腎移植に生涯を捧げ、腎臓内科透析部長まで勤めた筆者の半生の回顧録を通して世界の人工腎臓、透析、腎移植の発展の歴史を俯瞰できる。
◆付録のアメリカの医学教育と医療の現状も貴重な資料。
◆腎臓・透析関係の医療スタッフや留学などアメリカの医療教育に感心のある方々に必読の書。
◆ ISBN4-931419-96-8

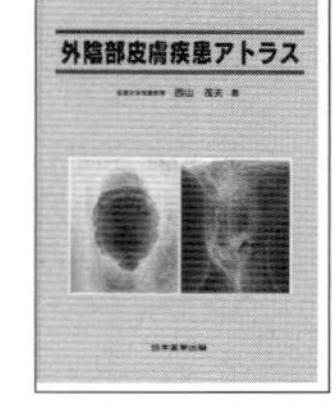

外陰部皮膚疾患アトラス

著者　西山茂夫　北里大学名誉教授
定価　（本体価格13,800円＋税）
B5判　172頁　上製本

◆乳幼児・小児・成人男女の外陰部皮膚疾患の本邦初のカラーアトラス。
◆ 89 疾患、318 枚に及ぶ quality の高い鮮明なカラー写真。
◆"疾患の概説、診断のポイント、鑑別診断、治療"の見出しで簡潔に解説。
◆ ISBN4-931419-25-9

JMP　株式会社日本医学出版
〒113-0033 東京都文京区本郷 3-18-11 TYビル5F
TEL：03-5800-2350　FAX：03-5800-2351
日本医学出版の最新刊や書籍情報は
http://www.jmps.co.jp

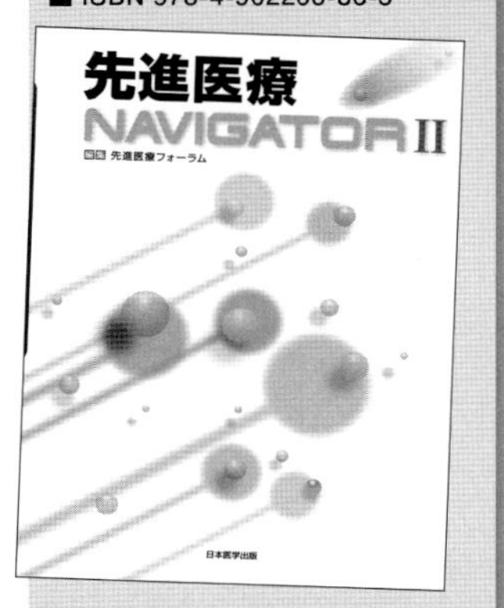

先進医療
NAVIGATOR II

がん先進医療
NAVIGATOR
がん治療研究の最前線

先進医療 NAVIGATOR　今日の再生医療・細胞医療の産業化に向けて

発　行　2017年 7 月 10 日　初版第 1 刷発行

編　集　先進医療フォーラム

発行人　渡部新太郎

発行所　株式会社 日本医学出版
〒 113-0033　東京都文京区本郷 3-18-11　TY ビル 5F
電話　03-5800-2350　FAX　03-5800-2351

印刷所　モリモト印刷株式会社

ISBN978-4-86577-025-4　Printed in Japan